XUXA MENEGHEL

Memórias

Texto fixado conforme as regras do Acordo Ortográfico da Língua Portuguesa (Decreto Legislativo n.º 54, de 1995).

Editor responsável: Guilherme Samora
Editora assistente: Fernanda Belo
Concepção de capa: Xuxa Meneghel
Design de capa: Guilherme Francini e Rodrigo Pavanello
Fotos de capa: Daniel Corvillón/ WOM e Yuri+Ana/ Vogue Brasil
Fotos de quarta capa: Frederico Mendes (1989) e Blad Meneghel (2019)
Projeto gráfico e diagramação: Douglas Kenji Watanabe
Preparação: Ariadne Martins
Revisão: Gabriele Fernandes, Adriana Moreira Pedro e Patricia Calheiros

CIP-BRASIL. CATALOGAÇÃO NA PUBLICAÇÃO
SINDICATO NACIONAL DOS EDITORES DE LIVROS, RJ

Meneghel, Xuxa,
Memórias / Xuxa Meneghel. – 1ª ed. – Rio de Janeiro : Globo Livros, 2020.

ISBN 978-65-5567-015-8

1. Meneghel, Xuxa. 2. Apresentadores (Teatro, televisão etc.) – Biografia – Brasil. I. Título.

20-65657 CDD: 927.45
CDU: 929:7.07(81)

1ª edição — agosto/2020

Editora Globo S.A.
Rua Marquês de Pombal, 25
Rio de Janeiro, RJ — 20230-240
www.globolivros.com.br

XUXA MENEGHEL

Memórias

GLOBOLIVROS

Dedico minhas memórias a quem mais faz parte delas:
à minha Aldinha, que nasceu para ser mãe; à minha filha,
anjo que desejei desde que eu me vejo como uma pessoa.
E, principalmente, ao meu público, de todas as idades,
gêneros, nacionalidades. Vocês me fizeram e me fazem sentir
uma pessoa com luz. Saibam que essa luz vem de vocês.
E, claro, dedico a todos os meus filhos e amigos de pelos,
penas, escamas que passaram pela minha vida.
Vocês me ensinaram que, quando a gente ama
de verdade, aceita a pessoa como ela é.
Te amo, Ju, do jeito que você é.
Te amo, Sa. Você me faz sentir que posso ser
uma pessoa melhor a cada dia.
Te amo, minha Aldinha, que corre no meu DNA, no meu
sangue. Obrigada por nunca duvidar de mim.

Prefácio

Conheci a Xuxa como jornalista, anos atrás. Entre entrevistas, coberturas e estreias, nossos laços se estreitaram. Minha admiração só crescia.

Lembro de uma vez, acho que era 2015, quando fui visitá-la. Estávamos sentados no chão da sala da casa dela, sempre entre bichos, conversando sobre a vida. Ela me contava histórias, passagens, viagens… e eu pensei: "Como eu queria que as pessoas conhecessem a história forte dessa mulher, contada desse jeito franco e honesto dela. É impossível não ser tocado por ela".

Depois disso, eu sempre perguntava:

— Quando é que você vai escrever o seu livro?

A resposta era quase sempre uma risada. Despistava, falava sobre outra coisa.

Algum tempo atrás, eu sonhei com ela. E no sonho, Xuxa escrevia algumas coisas. Mandei uma mensagem para ela:

— Acho que está na hora de lançar seu livro.

Ainda falei que suas memórias ajudariam as pessoas. Contando o que passou, mostrando esse lindo lado humano, deixando claro que nem tudo são flores… ah! É uma trajetória e tanto, que poderia servir de inspiração para muita gente. Na Xuxa, eu encontro uma luz que poucas pessoas têm.

Assim que falei em ajudar, ela desabafou. Estava preocupada com projetos sociais que atendiam crianças e santuários de animais resgatados, que passam por dificuldades financeiras.

E foi aí que surgiu a ideia: lançar essas memórias — e os incríveis livros infantis que virão na sequência! — com esse propósito, o de ajudar esses projetos. Nesse momento, vi aquela luz se acender. Não era só um projeto. Não era só sobre ela. Não era simplesmente algo para satisfazer o ego. Era algo maior, que chegaria a causas do coração. Xuxa, então, topou. E foi de coração aberto que ela escreveu esse livro.

Foi uma experiência e tanto! De textos que ela escrevia e enviava, de leituras e conversas (sempre de madrugada!) para trazer novos temas à tona... Xuxa não só escreveu, como pensou na capa e escolheu as fotos que ilustram essa obra. Acompanhou todo o processo editorial. Atenta e, como uma boa nativa do signo de áries, sempre direta.

Xu, obrigado pela confiança, obrigado por dividir essa história de coração aberto. E, sim, tenho certeza: você vai tocar muita gente com esse livro.

Guilherme Samora,
Editor.

Olá, meu nome é Morgana Sayonara. Por pouco, muito pouco, eu não começaria este livro assim. Sim, eu quase fui registrada com esse nome... Por vezes, penso se a história da Morgana teria sido diferente da história da Maria da Graça, que sempre foi Xuxa. Mas a graça da vida é justamente esta: cada um tem sua história. Cada indivíduo é único. E só posso contar o que eu vivi. O que eu penso. Quem eu sou. E quais as graças que tive em minha trajetória até aqui.

Não tenho terapeuta, então quem sabe essas próximas linhas não sirvam também como uma terapia? Topa entrar comigo nesta viagem ao passado?

Nasci Xuxa

É CURIOSO PENSAR COMO ALGUMAS COISAS NÃO ACONTECEM POR ACASO.

Eu sou a filha caçula de uma família de gaúchos. Luiz Floriano, meu pai, era filho de um italiano — o vô Eduardo — com uma polaca — a vó Carolina. Minha mãe, Alda, nasceu em Santa Rosa, no Rio Grande do Sul. A mãe dela, vó Olívia, era uma alemã que veio parar no Brasil ao fugir de Munique, num navio, com sua irmã Frida e dois irmãos, que eram gêmeos. Um dos gêmeos pegou uma forte gripe no caminho e acabou atirado ao mar, para não contaminar ninguém do navio, ficando apenas o Salomão. O pai dela, Agenor, era um ator mambembe. Agenor tinha o nome artístico de Aldo Fróes e, quando a menina chegou, a batizaram de Alda.

Certa vez, quando Aldinha tinha três anos, o pai dela chegou em casa e botou o nariz de palhaço para ficarem brincando. Mesmo pequena, ela já tinha um amor enorme por aquele pai. No meio da brincadeira, ele passou mal e pediu que fosse buscar um copo de água na cozinha. Quando voltou com a água nas mãos, ela viu a cena: meu avô, com o nariz de palhaço, caído no chão. Ataque cardíaco fulminante.

Vó Olívia, que tinha seus 23, 24 anos, deixava Aldinha sozinha em casa, trancada em um quarto com pão e leite, e ia trabalhar. Minha mãe chorava muito. Um dia, o choro atraiu alguns ciganos que passavam por lá. Ao ver a cena, eles pediram para cuidar da menina, e minha avó deixou. Então, minha mãe aprendeu a ler mão, a cantar e dançar, a fazer trabalhos artísticos, a gostar de cores... Fora o lado esotérico, que a acompanhou durante a vida toda. Nessa época, ela passou a chamar muito o pai, que se fora. Queria que ele aparecesse para ela de qualquer jeito. Devia ser um misto de saudade com o lado esotérico e espiritual que já estava com ela.

Aldinha só voltou a viver com minha avó Olívia — que, muito distante, apresentava a própria filha como sobrinha — quando ela a matriculou em um colégio católico interno, para que virasse freira.

Em um final de semana na casa de sua tia Frida, Aldinha conheceu meu pai, Luiz. Dizem que foi amor à primeira vista. Ele tinha 21 anos e queria se casar com ela, que tinha quinze. Falou até que se Aldinha virasse freira, ele se tornaria padre (uma grande mentira, mas bonitinho, vai?). Minha mãe não se ordenou freira e eles se casaram.

Pois bem, contei isso tudo para mostrar — além da história forte de minha mãe — que ela ficou marcada para sempre pela figura do pai, artista, com quem acabou nem convivendo, já que ele se foi muito cedo. A arte, a música e a atuação passaram a ter uma importância enorme na vida de Aldinha. Por causa do pai e, claro, dos ciganos.

Tudo isso faz muito sentido ao falar do nome dos meus irmãos. Ela queria tanto — consciente ou inconscientemente — um artista na família que escolhia nomes diferentes ou ligados à arte. Pois bem, vou apresentar os cinco filhos e seus nomes. Preparem-se:

Solange Aldaiz — a primeira. Veio ao mundo quando minha mãe tinha apenas dezesseis anos. É louco pensar nisso, na idade dela, pois, aos dezesseis anos, eu me sentia uma criança. E minha mãe já tinha uma filha... Você deve estar se perguntando: Aldaiz é um sobrenome? Não, não é. Minha mãe teve a brilhante ideia de juntar o nome dela com um pedaço do nome do meu pai (Alda + iz, de Luiz). Ela gostou tanto dessa, digamos, criatividade, que começou a pirar no nome dos filhos seguintes.

Mara Rúbia — a segunda filha. Chegou quando minha mãe tinha dezoito anos. Ela havia visto a vedete Mara Rúbia no teatro e, claro, daí veio o nome.

Cirano Rojabaglia — o terceiro. Nasceu quando minha mãe tinha seus dezenove anos e havia acabado de ler o livro sobre Cyrano de Bergerac e... adivinha? Agora, de onde veio o Rojabaglia, só Deus sabe.

Bladimir Elisaldo — o quarto filho. Com um nome livremente inspirado no cigano Wladimir, sobre quem ela leu num livro. Ela tinha 24 anos e, com toda a criatividade que Deus lhe dera, ainda criou o Elisaldo, algo como o contrário de Aldaiz (Elis + Aldo).

E eu — já estava tudo certo para o bebê caçula. Se fosse menina, ela se chamaria Morgana Sayonara (inspirada na fada Morgana!). Se fosse menino, Ivan ou Jandrei. Minha mãe estava com 26 anos.

Mas minha chegada não foi tão simples assim. Na hora do parto, houve complicações. Os médicos foram até meu pai e ele precisou optar: a vida da criança ou de sua esposa. Ele, claro, escolheu salvar minha mãe. Mas fez uma promessa: se a menina continuasse viva, receberia o nome de Maria da Graça. Por um milagre, sobrevivi. E, por isso, não me tornei Morgana Sayonara.

Claro que Maria da Graça frustrou minha mãe. Mas não dava para "brigar" com um milagre, não é? O fato é que nunca a vi me chamando de Maria da Graça. Para ser bem honesta, o nome nem chegou a ser usado.

Explico: ao chegar em casa, da maternidade, minha mãe disse ao meu irmão Blad, que estava com dois anos e meio:

— Comprei um bebê lindo pra você brincar.

— Eu sei, é a minha Xuxa.

Minha mãe ficou tão encantada com aquele nome, era como

se ela soubesse que era assim que eu deveria ter sido chamada desde o começo. Nem Morgana Sayonara, nem Maria da Graça. Ela nunca me apresentou como Maria da Graça para ninguém. Tanto que, quando comecei a frequentar a escola, ela pedia para colocar o nome Xuxa na lista de chamada.

— Se colocarem Maria da Graça, vai ser falta todos os dias. Ela não atende por esse nome — justificava.

Os diretores e professores acatavam. Certa vez, ela disse que quis deixar registrado, ao me chamar somente de Xuxa, que eu sou única. Tenho certeza de que, ao me chamar assim, ao lutar pelo tal nome único, ela traçou, também, um destino único para mim.

Então, muito prazer. Sou Xuxa. Xuxa desde que nasci.

Medo, culpa e nojo

NASCI EM UMA CIDADE CHAMADA SANTA ROSA, quase fronteira com a minha amada Argentina (olha o destino, que já me colocava perto dos argentinos, de quem recebo tanto amor). Morei por lá até meus sete anos, quando meu pai, que era militar, foi transferido para o Rio de Janeiro, em 1970.

Antes de falar de minha vida no Rio, voltemos à primeira infância, no Sul. Era para ter sido uma das mais tranquilas, subindo em árvores, brincando no quintal, na rua. Mas é justamente de lá, dessa época, que comecei a ter de lidar com o fato mais difícil de toda a minha vida até agora. Ao escrever sobre isso, eu revivo, remexo e sinto o gosto amargo de tantos sentimentos ruins: culpa, impotência, medo e raiva. Muita raiva.

Toda a história começou quando eu tinha por volta de quatro anos. Digo "por volta de", pois o que aconteceu é tão repugnante, forte e asqueroso que eu bloqueei algumas lembranças como uma forma de autodefesa. Mas é por aí, no máximo um ano a mais ou a menos.

Eu ainda morava com minha família toda. Minha mãe costumava colocar um edredom no chão, logo depois do almoço, e os cinco filhos enfileirados nele, prontos para o soninho da tarde.

Naquela época, costumavam nos dar um elixir para abrir o apetite. Como sou intolerante a álcool (o que só descobri depois)

— e sei que esse elixir tinha, mesmo que em pequena dose —, eu dormia mais profundamente do que meus irmãos após almoçar. No Sul, também era comum misturar vinho com água e açúcar e dar para as crianças... Lembre-se de que era outra época. E minha mãe ficou grávida muito cedo, sem qualquer ajuda, sem babá e com cinco filhos. A vida não era fácil para ela. Nunca foi.

Então, por justiça, quero deixar bem claro: hoje, podem até encarar como uma falta de cuidado, mas, não, não é nada disso. Minha mãe era uma leoa com os filhos, no sentido mais puro do cuidar de um bicho. Era animalesco o que ela fazia para defender qualquer um de seus filhotes. E eu fui entender isso muito mais para a frente, quando tive a minha filha. Portanto, eu NUNCA a culpei de nada. Tenho a absoluta certeza de que nada disso foi culpa dela. Nada.

Pois bem, num desses soninhos no edredom, me lembro de um cheiro de álcool de alguém, que não consegui identificar, uma barba que machucou o meu rosto e algo que foi colocado na minha boca. Acordei dizendo que alguém tinha feito xixi na minha boca e meus irmãos disseram que eu havia sonhado.

Esse foi o primeiro abuso sexual do qual sofri. Uma criança, com seus quatro ou cinco anos. Depois de anos, tomei coragem e perguntei às minhas irmãs se tinha acontecido algo parecido com elas também. Mas, não. Por que eu fui a escolhida? Não sei.

E não parou por aí. Teve outros casos... Me lembro de que andávamos de Kombi. Nós, crianças, íamos atrás. Eu tinha cinco ou seis anos e os mais velhos já eram pré-adolescentes, primos de segundo grau e amigos muito próximos da família. Tocavam em mim, colocavam o dedo em mim, doía, não sabia distinguir o que sentia, por isso não chorava nem reclamava com ninguém sobre o acontecido. Tinha medo, me sentia culpada. E ficava quieta.

Um professor e um monstro

Já morando no Rio, tive um professor de matemática, Clovis Marques, que dava aula no Colégio Itu, em Bento Ribeiro. Estudei lá dos oito aos onze anos. Ele era muito especial. Uma das figuras mais importantes e amorosas da minha infância. Com ele, eu entendia matemática! E eu via na figura dele, de tanta paz e de caráter, um pai. Talvez pela distância do meu pai com os filhos, que não sabia muito bem o que era um carinho, eu encontrava naquele moço e em sua generosidade uma figura paterna.

Ele me deu um livro, *O pequeno príncipe*, e escreveu na dedicatória que Xuxa significava "alma de gente". E falou:

— Um dia, o mundo saberá o significado desse nome.

Esse professor tinha um carinho absurdo pelos alunos — e nós por ele. O Clovis foi tão importante que virei a melhor aluna de matemática. Ouvi dizer na época que sua esposa não podia engravidar e, por isso, ele nos tratava como filhos. No meu aniversário, o Clovis me deu o meu primeiro cachorro, o Kiko. Fiquei enlouquecida! Para a minha mãe, era impossível ter um cãozinho em um apartamento tão pequeno. Mas, por saber da minha paixão pelos bichos, ele se arriscou.

Depois de um tempo, o Clovis foi para a Europa e parou de nos dar aula. Mas, de lá, me mandava cartões-postais em que escrevia

"Xuxa Marques" ou "Clovis Meneghel", prova de que eu ainda era parte da família imaginária dele.

Depois da saída do professor anjo, chegou um professor monstro. Mauricio entrou no lugar de Clovis para lecionar matemática. Eu estava com uns dez anos. Certo dia, me chamou depois da aula e, mesmo na frente da minha amiga Yara, disse que queria me deixar só de calcinha e colocar nas minhas coxas.

"O que seria isso?", eu me perguntava. Em outra ocasião, ele me mandou ir ao quadro-negro para escrever algo — isso antes de os meus colegas entrarem na sala. Estavam todos no recreio e ele disse que, se eu o ajudasse, seria recompensada nas notas finais. Escrevi o que ele queria na lousa e percebi que ele se tocava debaixo da mesa.

Lembro da calça quadriculada e do movimento que ele fazia, sem parar. Foi aí que o ouvi gemer e depois se limpar.

— É isso que é colocar nas coxas? — perguntei, espantada e sem saber como sair daquela situação.

— Não, mas eu vou fazer isso em você — ele respondeu. Ainda me disse, em tom de ameaça, que eu não poderia dizer nada a ninguém do que tinha acontecido.

— Ninguém vai acreditar em você. Entre a palavra de um professor e a de um aluno, o professor sempre ganha.

Cheguei em casa e, na hora do jantar, perguntei à minha irmã Mara o que era colocar nas coxas. Ela ficou furiosa e, sem me explicar o que era, quis apenas saber quem tinha me falado aquilo. Eu tremi de pavor. A sensação de medo e culpa que permeou todos esses abusos me pegou fortemente. Mas não consegui me segurar, contei que tinha sido o professor. Fiquei tão traumatizada na época que passei de primeira aluna em matemática para última.

Com esse fato, meu irmão e eu fomos transferidos para o colégio de padres São Judas Tadeu — o padroeiro das causas impossíveis, que hoje é o Colégio Santa Mônica, padroeira das mães. Lá, as coisas melhoraram. Ao menos na escola.

Por volta dessa idade, meus peitos começaram a crescer. Doíam, nem dormir de bruços eu conseguia. Minha avó Olívia, mãe da minha mãe, tinha um namorado chamado Ubirajara, que pretendia se casar com ela.

Eu ia ao apartamento dela, para ficar assistindo TV, e o futuro "vovô" ficava perto e me fazia carinho. Quando minha avó ia costurar, ele pedia que eu me sentasse no seu colo, mas deixava o dedo por debaixo de mim e depois o cheirava. Lembro do rosto dele, fechando os olhos...

Ele tomava banho de portas abertas — sempre de ouvidos ligados para ter a certeza de que minha avó estava na cozinha ou costurando — e se tocava na minha frente.

Eu não entendia o motivo daquilo e me mantinha calada. Lembrava também das palavras do professor de que nunca acreditariam numa criança. Mas ele começou a tocar no meu futuro peito. Digo futuro, pois ainda era um carocinho. Uma vez, apertou tão forte que doeu e eu o fiz parar. Foi quando ele disse que era apenas um carinho que só o "vovô" podia fazer na neta, pois ele "me amava como neta".

Por que não gritei? Por que não chorei alto? Por que não falei para a minha mãe? Não sei, não sei, não sei. O que sei é que, em um dado momento, minha mãe decidiu pedir para a minha vó não se casar com ele. Meus irmãos foram contra, mas eu fiquei do lado dela. Se minha mãe não queria e não gostava dele, eu também não queria e não gostava... Foi o máximo que pude fazer para protestar pelo que passei com aquele homem.

Nessa época, eu frequentava Coroa Grande nas férias, uma praia do município vizinho, Itaguaí, no Rio de Janeiro. Meu pai alugava uma casinha, a casa azul, e a gente ficava sempre por lá. A casa azul tinha dois quartos. Por isso, a divisão era a seguinte: meu pai e minha mãe ficavam em um quarto, e no outro, com duas beliches, dormíamos eu e meus irmãos. Só que, frequentemente, por causa do calor, acabávamos na varanda, onde minha mãe colocava o famoso edredom e fazia uma cama enorme.

Amigos dos meus irmãos e, às vezes, um casal que era amigo dos meus pais também dormiam na casa. O homem era sem dúvida o melhor amigo do meu pai. Ele dizia dormir no meio da gente para fazer companhia e cuidar das crianças, mas eu acordava com sua mão me tocando. Por que eu?

Numa dessas férias, quando eu tinha treze anos, ele me chamou para ver como estavam as obras da casa que estava construindo. Chovia muito. Ele disse que eu teria um quarto para dormir lá quando quisesse. Eu até o chamava de padrinho!

— Dá um abraço no seu padrinho, faz tempo que você não faz isso — disse ele, me encurralando na parede de pedras da varanda e colocando suas mãos por debaixo da minha camiseta.

Eu estava de biquíni e um camisetão por cima e ele tentou me beijar. Saí correndo pela rua, no meio da chuva, até chegar à praia. Chorava muito, peguei um punhado de areia e esfreguei no meu corpo, achava que assim conseguiria limpar toda a sujeira que me fizeram aguentar por anos.

Lembro-me da chuva e do choro. Da areia me machucando. E dos pensamentos: "Se falo para minha mãe, vou causar a separação dos dois, pois ele é o melhor amigo do meu pai. Se conto para o meu irmão, ele vai querer matá-lo...". O que fiz? Me calei até quase os cinquenta anos, quando resolvi falar no *Fantástico* sobre o que passei.

Ao falar num programa de alcance nacional, eu queria divulgar o Disque 100, queria alertar as pessoas que estavam passando pelo que eu passei para que denunciassem.[1]

[1] Após a revelação da Xuxa no *Fantástico*, houve aumento expressivo de denúncias no Disque 100. Em dois dias, mais de 285 mil ligações foram realizadas para denunciar e buscar informações. Disponível em: <http://g1.globo.com/pop-arte/noticia/2012/05/apos-revelacao-de-xuxa-disque-100-recebe-285-mil-ligacoes.html>. Acesso em: 9/7/2020. (N. E.)

Nós, vítimas, não queremos falar sobre o assunto. Acho que aprendemos que "sempre existe um culpado". E eu me sentia culpada. Sentia culpa simplesmente por existir, era como se minha existência causasse aquilo.

Dos quatro até os meus treze anos, eu passei por várias situações de abuso — algumas eu pulei, já não tenho mais estômago para relatar tudo aqui — que me fizeram ter mania de limpeza. Tomo de três a quatro banhos por dia.

Se o que estou escrevendo neste livro ajudar alguma criança, ajudar alguém que passou pelo mesmo horror que eu, já valeu meu sufoco, meu esforço e o gosto amargo de ter remexido nisso.

Tenho vontade de estar com crianças, pois elas não me fariam nenhum mal. Isso é coisa de adulto. Pedofilia, abuso e estupro são crimes, precisam ser punidos. E, por isso, eu empresto minha voz em campanhas em favor das crianças. Elas não têm voz. Eu preciso fazer isso por elas, já que não fiz por mim.

Os bichos também não têm voz

Sempre me senti conectada aos animais "não humanos". Sempre. É maior do que eu, é como se eu pertencesse mais ao universo deles.

Nasci com intolerância ao leite e um enorme problema para digerir carne vermelha. Agora, imagine isso no interior do Rio Grande do Sul, de quase sessenta anos atrás, onde comer carne era como beber água. A gente nem sabia o que era intolerância à lactose. Começaram a perceber que eu tinha dor de barriga e muita afta quando me davam carne vermelha, por isso sempre comi poucos bichos ou derivados de bichos. Nunca comi porco ou salame, por exemplo. Cachorro-quente? Só pão e molho.

Quando tinha onze anos, lembro de ter resolvido parar com a carne vermelha. Mas minha mãe, na melhor das intenções e por não ter as informações de que dispomos hoje, me obrigava a comer bife de fígado uma vez por semana. Lembro que pedia para deixá-lo torrado, para que eu não visse o sangue nem sentisse o gosto. Era tão duro que eu quase quebrava os dentes.

Mas começaram a perceber que toda vez que eu comia o tal bife as dores pioravam. Passei a vida com azul de metileno na boca por causa das aftas, recebendo massagens com bolsa de água quente e tomando remédios gástricos. Para eu não sofrer tanto, minha mãe dizia para só mastigar a carne e jogar o bagaço.

Depois de penar muito, aos treze anos abandonei de vez a carne vermelha. Depois, o frango. Mais tarde, o ovo, pois um dia achei um quase pintinho na frigideira. Segui com leite e queijo sem lactose e, uma vez por semana, peixe. Afinal, diziam que a tal proteína animal era necessária.

Mas isso não duraria. Eu não podia machucar um bicho. E, mais para a frente, eu me tornaria, orgulhosamente, vegana.

No subúrbio do Rio

Como o veganismo entrou em minha vida mais para a frente, vou falar desse tema depois. Volto aqui à infância. No Rio, moramos em alguns lugares. Assim que chegamos lá, fomos parar em Santa Cruz. Ficamos somente um mês por ali, porque a casa era mal-assombrada. Era o que todos nós acreditávamos, pois coisas estranhas aconteciam nela. Uma vez, encontramos a porta aberta e todas as panelas da cozinha dispostas no chão. Em outra, ouvimos algo batendo na janela. Minha mãe havia colocado bonecos de gesso da Branca de Neve e os Sete Anões na frente da casa e eles apareceram todos caídos. Alguns vizinhos diziam que eram pessoas pregando peças na gente. Até que o lustre da sala caiu na cabeça de um conhecido do meu pai. Por via das dúvidas, saímos de lá.

Fomos então para Bento Ribeiro, subúrbio do Rio de Janeiro, onde cresci. Só aos dezessete anos me mudei para outro bairro, ainda no subúrbio, porém mais próximo da Zona Sul do Rio, que é o sonho de toda adolescente: viver perto da praia, ouvir e ver as garotas e os garotos de Ipanema desfilarem sua beleza.

Em Bento Ribeiro, eu era o bullying em pessoa. Ainda não existia esse termo, mas, quando surgiu, pensei: é tudo o que eu sofria.

Tinha sempre um infeliz que puxava a risada dos babacas que estavam em volta. A partir desse indivíduo, riam da minha magreza, dos meus cabelos, das minhas sardas, dos dentões... Cantavam músicas para me ridicularizar, e eu me sentia cada vez mais estranha e feia. Perdi as contas das vezes que chorei, muitas delas na frente do espelho, pois, quando me olhava, só conseguia enxergar os defeitos que eles apontavam — que, na verdade, não eram defeitos.

Morria de vergonha quando minha mãe fazia maria-chiquinha nos meus cabelos. Se usasse minissaia, nossa!, corriam falar que eu tinha cambitos, por causa das pernas finas. Então, isso passou a ser um trauma, um horror para mim. Imagine que, com treze anos, eu tinha 1,74 metro e as pernas compridas. Quando me apresentava como baliza, logo que a banda tocava, eles cantavam assim: "Parecem dois palitos enfiados no sabugo".

Eu gostava muito de subir em árvore. Às vezes, eu subia e ficava ouvindo as pessoas falando lá debaixo, e o papo dos meninos era, quase sempre, sobre as meninas mais bonitas do colégio. E eu nunca estava no papo.

Era assim:

— Fulana é gostosinha, com essa eu quero ficar.

— Você viu os peitos da beltrana?

Falavam o nome de todo mundo. E nunca falavam de mim! Até que um dia um garoto perguntou:

— E a Xuxa?

— A Xuxa? Caraca, com aqueles dentões, aquele cabelo de espiga de milho.

Eu não me contive! Estava em cima de uma goiabeira e joguei uma goiaba nele.

Recém-chegada do interior do Sul, ainda tinha o sotaque de Santa Rosa. As pessoas me cercavam e esperavam eu dizer algo só para tirar sarro do meu modo de falar. As risadas ecoavam nos meus ouvidos — bem alto e forte. Aquilo me machucava tanto. Por isso, eu gostava mais de ficar com os vira-latas, os passarinhos, as lagartixas, as formigas — eles jamais me machucariam. Então, eu preenchia minha vida com bichos e amigos imaginários.

Uma das amigas imaginárias mais presentes foi a Hana, ela era morena e tinha cabelos cacheados. A gente estava sempre juntas, brincávamos o dia inteiro, até na hora do banho e de dormir ela estava comigo.

Minha mãe era sempre tão sensível, tão maravilhosa que nunca questionou a presença da Hana. Pelo contrário. Um dia, eu estava debaixo da mesa conversando com minha amiga, e Aldinha chegou com uma xícara de café para mim e outra para a Hana. Sem dizer nada, me entregou, sorriu e continuou seus afazeres.

Quando o Kiko chegou, meu primeiro cachorro, dado pelo professor Clovis, Hana nunca mais apareceu.

Autógrafo

Uma vez, quando eu ainda era pré-adolescente, esbarrei com um ator que eu adorava. Fiquei animadíssima e corri pedir um autógrafo. E ele só escreveu o nome, mais nada. Fiquei tão decepcionada que pensei: "No dia que for famosa, nunca vou escrever só o nome. Vou botar: 'um beijinho da Xuxa' ou fazer um desenho...".

Quero ser baixinha!

O TERMO *BAIXINHA/ BAIXINHO* surgiu em minha vida muito antes de eu sequer sonhar em trabalhar com crianças, quando estava com uns dez anos. Minha irmã Mara tinha estudado pedagogia e psicologia infantil. Solange e Cirano também cursavam psicologia.

Então, eles chegavam em casa e queriam fazer os testes que aprendiam da área comigo e com o Blad. Nessa época eu sempre andava com crianças mais novas. As meninas da minha idade eram muito chatas: só queriam falar de namoro e fazer touca para esticar o cabelo, e eu achava aquilo um porre.

Tinha uma amiga chamada Pimentinha, de seus três para quatro anos. Ela era muito esperta, inteligentíssima. Tinha também o Marcelinho, de cinco anos, e o Ricardo, de sete. Uma vez, a Pimentinha foi brincar em casa e resolveram fazer os tais testes com ela também. O Cirano começou falando de um jeito um tanto afetado:

— Quantos aninhos você tem?

— Quase quatro.

— Qual o seu nomezinho?

— Pimentinha.

Era um festival de perguntas com "inho" e "inha". Até que ela olhou para mim, com os olhos arregalados:

— O seu irmão tem algum problema?

Cirano ficou chateado:

— Poxa, estou fazendo do jeito que o livro manda tratar a criança.

— Isso é chato. Vocês tratam a gente como bobos — respondi, direta, já com o jeitinho ariana de ser.

Uma vez, meu irmão colocou a mão na cabeça do Marcelinho, como que para mostrar que era ele quem mandava. O adulto, o ser superior à criança.

— Tira a mão daí. A gente não gosta que faça isso e nem que aperte a bochecha.

Pois ele foi lá e ainda apertou a bochecha do Marcelinho. E pensei: "Nunca vou fazer isso em uma criança quando eu crescer".

Uma amiga minha, a Pompéia Lucia, tinha oito anos e já era bem grande, com peito e tudo. O irmão menor não queria sair com ela de jeito nenhum. E um dia perguntei o motivo. Ele me disse que ficava com dor no braço, por ela não soltar da mão dele e, portanto, tinha que ficar todo esticado, e dor no pescoço, por ter que ficar olhando para cima para falar com ela. A partir daí, sempre me abaixei para falar com as crianças menores.

A palavra *criança* para mim, naquele momento, tinha o significado de algo limitante. Era sempre uma coisa do tipo:

— Você é criança, não pode fazer isso.

— Criança não pode falar assim.

— Criança não pode sair com a gente.

— Sai daqui, que isso não é assunto para criança.

Até que um dia, de tão louca da vida com isso, explodi e falei:

— Não quero ser criança! Não sou criança!

— Ah, e você é o quê, então? Adulta é que não é.

— Sou baixinha.

E, a partir daí, esse termo entrou em minha vida, assim como a certeza de que eu não deveria tratar os baixinhos de maneira tatibitate. Algo que, mais para a frente, marcaria meu estilo na TV.

Beijo de língua engravida?

Caçula de cinco irmãos, filha de militar, suburbana e interiorana, uma combinação que fazia da menina Xuxa a ingenuidade em pessoa.

Quando era pequena, eu adorava correr atrás dos meninos. Quando eles paravam, eu não sabia o que fazer. O fato é que amava correr atrás deles. Tinha uns três guris que eu dizia que eram meus namorados, mas eles só não sabiam que eram. Eu tinha uns quatro ou cinco anos, sonhava em ser veterinária e não queria me casar. Dizia para todos que iria ser mãe de uma menina, mas que não me casaria.

Já no Rio, meu irmão tinha dois amigos, Gringo e Dunga. Dos oito aos onze anos éramos só amigos, mas depois vieram as reuniões dançantes, hi-fi no playground, ficava tocando música na rádio-vitrola e nós dançávamos aquelas músicas lentas. Eu dançava com os dois, mas o Dunga era maior e eu curtia mais. Acabei gostando dele. E um dia nós nos beijamos, fechando bem a boca, era só lábio com lábio. E assim foi, até que uma vez, meio sem perceber, minha língua saiu e encostou na língua dele. Só que, até meus onze anos, eu pensava que a mulher ficava grávida beijando na boca — de língua, claro.

No dia seguinte, em casa, o papo foi este:

— Mãe, acho que tô grávida…

— Como assim, minha filha?

— Então, mãe, a senhora sabe, eu estava lá… e, bem… mãe, a senhora sabe, acho que tô grávida.

— Mas Xuxa, meu amor, me explica como isso aconteceu, quando isso aconteceu?! — Minha mãe foi ficando assustada.

— Ontem, mãe, ontem! A senhora sabe… Eu estava com o Dunga e aí aconteceu.

— Aconteceu? Ontem? Aconteceu o quê?

— Ahhh, mãe! Eu estava beijando ele e aí a língua saiu da boca. Acho que encostei na dele, então acho que tô grávida.

A cara de alívio da minha mãe foi enorme, lembro até hoje. Caiu sua ficha de que, além de eu não ser mocinha ainda, não tinha beijado direito e não sabia NADA sobre sexo! Minha mãe, então, pediu para eu falar com minha amiga Sandra, prima de coração do Dunga, que era mais safa nesses assuntos.

Mas, para falar a verdade, aquilo foi um desastre! A Sandra me mostrou uma revistinha pornô em que um cara colocava um capuz, amarrava a mulher na cama e transava com ela. Depois dessas fotos traumatizantes, passei a entender o motivo de meus pais trancarem a porta do quarto. E era só minha mãe sair de casa que eu corria abrir os armários, olhava debaixo da cama, em tudo, para achar o tal capuz que supostamente meu pai usava. Queria encontrar e jogar aquilo fora. Não iria admitir que meu pai amarrasse minha mãe na cama para fazer aquilo com ela, não era certo. "Já que ela não iria mais ter filhos, para que passar por isso?", pensava.

Sem ela, eu não seria nada

Quem me conhece está cansada(o) de ouvir que minha mãe é maravilhosa (*é*, pois ela continua sendo, mesmo não estando mais em seu corpo físico) e única.

Posso enumerar muitos causos e histórias que provam esse amor, essa força da natureza que era a Aldinha. Então, vou contar alguns deles.

Como não estou me prendendo à cronologia, vou começar por uma lembrança especial de um Natal. Das memórias felizes, uma das mais marcantes, em família, é justamente dos Natais. Minha mãe levava essa celebração muito a sério! Em uma dessas datas, em Coroa Grande, lembro da sensação de paz e pertencimento ao arrumarmos juntas a mesa natalina.

Não tínhamos muitas coisas para decorar ou servir. Árvore de Natal, bolinhas, guirlandas, nada disso. Mas minha mãe sempre dava seu jeito: misturava folhas de coqueiro, cocos verdes, umas flores artificiais que ela tinha pela casa com algumas frutas de verdade... Ficava tão lindo! Essa é a data comemorativa de que ela mais gostava. Tenho certeza de que, se a gente tivesse condições financeiras na época, a casa iria ficar pior do que aqueles shoppings enfeitados no fim de ano.

Nós ainda pegávamos galhos secos e, com algodão e umas bolas de isopor — enfeitadas especialmente para essa noite —, fazíamos nossa própria árvore, que sempre ficava a mais linda de todas. Afinal, era todinha montada por nós! Cada detalhe tinha uma história e os enfeites eram colocados com todo cuidado para serem vistos de qualquer ângulo.

Em um desses Natais, em Coroa Grande, além de tudo isso que eu contei, ao redor da árvore, símbolo da noite, estavam a minha avó materna Olívia, minha mãe, minha irmã Solange e minha sobrinha Tati. Juntas, de mãos dadas, elas faziam uma roda e cantavam músicas natalinas. Ali, na minha presença, estavam quatro gerações da minha família. Caramba, foi muito emocionante! Diante dessa cena, não era necessário mais nada. Nesse dia, tive certeza de que o espírito natalino — que é Deus, amor e o nascimento de Jesus — estava presente nessa imagem forte. Imagem, aliás, que nunca mais se apagou da minha memória.

Outro evento que recebia toda a dedicação de Aldinha era a data de aniversário dos filhos. Os meus aniversários de criança, mesmo sem condições para comprar enfeites e mesas mirabolantes, eram incríveis. Minha mãe dava o seu jeito para armar uma festinha. Ela se desdobrava para dar o melhor para nós. Lembro de um aniversário meu, de três anos, que ela queria um bolo bonito no centro da mesa. Então, colocou um bolo *fake*, de isopor, enfeitado com bonequinhas da minha irmã. Imagine aquele bolo cenográfico...

Dona Alda não parava. Pensando bem, talvez seja por isso que já não gosto muito de festas de aniversário: me lembro demais dela, atolada de coisas para fazer em casa, com vários filhos, sem babá, e ainda se preocupando em fazer festa pra gente.

Mãe coragem

Agora que contei um pouco de como minha Aldinha era uma doçura, vou mostrar o lado leoa dela, que surpreendeu até a mim em algumas ocasiões. Essa história também tem a ver com o início de minha carreira como modelo, então contarei como tudo começou.

Quando tinha de quinze para dezesseis anos, eu era atleta, baliza, e participava de gincanas na escola. Por isso, acabou sendo natural que participasse também de concursos de beleza que então as escolas costumavam promover. No meu colégio, eu tinha ficado em segundo lugar no Rainha da Primavera. E, para mim, segundo lugar não era nada. Explico: só ganhava prêmio mesmo quem ficasse em primeiro.

Depois disso, lembro que um dos meus professores, o Chiquinho, veio pedir que eu representasse o colégio no concurso Miss Objetiva, que era realizado pelas Associações dos Repórteres Fotográficos e Cinematográficos dos estados brasileiros. Mas o Miss Objetiva era algo maior, com várias instituições de ensino envolvidas.

— Mas, Chiquinho, não fui eu quem ganhou o Rainha da Primavera. Tirei o segundo lugar. Não posso representar o colégio.

— Xuxa, você é mais fotogênica. Nesse concurso, é melhor para o colégio que você nos represente.

— Mas e se eu perder?

— As participantes vão ganhar uma sessão fotográfica. Todas elas. Então, existe um prêmio.

E assim ele me convenceu. Cheguei lá, em Laranjeiras, todos os colégios do subúrbio estavam na disputa. Mais de cem concorrentes. A Elke Maravilha era uma das juradas. Olha que chique, a Elke!

A gente desfilava com roupa de passeio e vestido longo. Na minha vez de pisar na passarela, tocava uma música que acabou me distraindo um pouco e eu entrei meio que dançando, fazendo uns movimentos... Pronto, achei que tivesse acabado com minha chance e que não iria ganhar.

Fui para os bastidores, já arrancando minha roupa para ir embora, pois morava em Bento Ribeiro, longe pra caraca. Nesse momento, eu escuto meu nome sendo anunciado como o primeiro lugar! Vesti a roupa de qualquer jeito e saí toda descabelada, prendi o cabelo só com um grampo e fui para o palco.

Minha "descoberta" foi nessa mesma época. Eu estava no trem de Bento Ribeiro e ao meu lado, naqueles bancos duplos, estava um homem, cheio de revistas no colo. Fiquei olhando para elas.

— Você quer ler?

— Quero, obrigada. — Foi um jeito ótimo de passar o tempo, afinal era uma hora de trajeto.

Saltei do trem e fui pra casa. Ele me seguiu e bateu à porta. Minha mãe atendeu:

— A senhora deve ser mãe dessa menina, certo? Eu trabalho na editora Bloch — e mostrou o seu documento. O nome dele era Valter, o Valtinho. Não era fotógrafo nem editor, ele trabalhava no arquivo cor da Bloch e achou que eu tinha potencial como modelo. Pediu uma foto maquiada e outra sem maquiagem. Lembro que ela deu uma foto apenas, que era o que tinha. Anotou o telefone atrás e, pouco tempo depois, me ligaram para fazer as tais fotos com e sem maquiagem. Logo em seguida, fui convidada para tirar fotos para a capa da revista *Carinho*, da editora. Ou seja: comecei a ser modelo andando de trem!

Fui a capa da *Carinho Romance*.[2] A partir daí, os convites para fazer outras fotos e capas começaram a surgir, um atrás do outro. E, certo dia, eu estava comprando pizza na padaria e uma pessoa me perguntou:

— Você desfila?

— Não, mas já tirei foto para revista!

— Quero que você desfile para mim.

— Mas eu não sei desfilar...

— Você aprende, não é difícil. Topa fazer um teste? Tenho um desfile essa semana. Mas só tenho a roupa para te oferecer como pagamento.

E fui nesse desfile, com minha irmã acompanhando.

Mais convites foram chegando, para fotos e desfiles. Foi quando tivemos uma reunião familiar. Meu cunhado Alvaro tinha me dado de presente na época um sonhado curso de inglês e estava preocupado que eu largasse o curso e fosse para "o caminho da moda". Por isso, pediu essa reunião.

Meu pai estava sentado no sofá, não porque quisesse participar, mas sim porque queria ver TV. Estavam lá também minha mãe, sentada ao meu lado, e minhas irmãs Sola e Mara. Cira e Blad não estavam, afinal aquilo nem interessava a eles.

Meu colégio era particular, mas meu pai não precisava pagar. Eu tinha bolsa por ser atleta. Fazia baliza, jogava basquete, handebol e ainda ganhava 50% de bolsa para o meu irmão. Fazia de graça também ginástica olímpica na Uerj às segundas, quartas e sextas-feiras. Às terças e quintas, ia para o inglês e depois fazia balé e jazz para usar na ginástica rítmica, que eu também não pagava por ser atleta do colégio. E estudava muito para não perder

[2] Edição 17, de 1979.

a bolsa, pois para manter o meu benefício e o do meu irmão não podia ter nota baixa.

E, assim, eu me sentei no sofá ao lado da minha mãe, com um discurso preparado para deixar bem claro que eu queria ser modelo e ponto.

Mas meu cunhado me surpreendeu, dizendo um monte de coisa preconceituosa: que na vida de modelo só tinha prostituição, drogas, que eu iria engravidar, que isso não era legal para uma menina de família como eu... Então, minha mãe me olhou e disse:

— Xuxa, você quer ser modelo?

Fiz que sim com a cabeça, mas tudo que eu havia planejado falar ficou fraco depois dos argumentos das drogas e da "vida perdida".

Olhando para todos que estavam ali, minha mãe disse:

— Escutem bem, se minha filha engravidar, eu vou cuidar do filho dela. Se ela se prostituir, eu ficarei do lado dela. Se ela se drogar, eu cuidarei dela... Mas eu sei que nada disso vai acontecer, eu conheço a filha que tenho.

E virou-se para mim sorrindo, com uma confiança e uma segurança que não sei de onde tirou!

Depois de um breve momento de silêncio, outra lista de argumentos surgiu:

— Não vai ter como estar com ela o tempo todo!

— Ela pode mentir para você. Vai esconder as coisas que acontecem.

— Como é que você tem certeza de que vai dar certo? Como tem tanta certeza de que ela vai ficar bem?

— Ela vai parar de estudar, vai perder a bolsa. Que vida perdida!

Alguns pareciam concordar, outros permaneciam em silêncio, atônitos com tudo. A voz dela aumentou o tom e saiu de um jeito ríspido, firme e um tantinho ameaçador (eu nunca tinha visto ela falar daquele jeito!):

— Minha filha não mente. Eu confio nela e sei que não vai me decepcionar.

— Vamos ver no que isso vai dar — alguém disse em tom pouco convincente, como se apostasse que algo ruim aconteceria. E a tal reunião terminou assim.

Saí dessa cena totalmente diferente de como entrei. Minha mãe não sabia, mas naquele momento ela comprou minha briga, defendeu meu sonho. Naquela sala, ela disse coisas que marcariam minha vida, moldariam minha personalidade para sempre e me dariam uma base, uma estrutura... Minha índole se fortificou naquele instante. Existe uma Xuxa antes e uma Xuxa depois do que minha mãe fez por mim naquela hora.

E, sem qualquer julgamento, pois acho que cada um faz o que quer da sua vida, contanto que não machuque os outros: sim, tive a chance de me drogar, mais de uma vez, mas nunca provei nada. E sempre me lembrava de minha mãe dizendo que eu não faria isso. Sim, já me ofereceram muito dinheiro para transar, mas nunca aceitei, pois eu tinha uma mãe que me ensinou os valores dela e que aquilo iria contra o que ela acreditava.

Estou dizendo tudo isso para deixar claro aqui, para você, que está lendo isso comigo, que minha mãe confiou em mim antes mesmo que eu soubesse o que era confiança. Minha mãe me defendeu e brigou por mim num momento em que todos pareciam achar que daria errado. Nada nem ninguém valia mais a pena do que ela.

Não era comum naquela época (mesmo hoje, isso é difícil, vai?) uma mãe ou um pai ficar ao lado dos filhos diante de certas decisões. E se os pais, as pessoas mais importantes para os filhos, ficam contra eles, o mundo também pode ficar. Por isso, levei para a minha vida um conselho da minha mãe, a supermãe: esteja sempre ao lado do seu filho, mesmo que ele esteja errado. Não passe a mão na cabeça dele se errar, mas nunca, jamais, vire as costas. Se o fizer, o mundo poderá dar as costas a ele também.

Por meio dela, quando me defendeu com unhas e dentes ao ver que eu queria realmente seguir o caminho artístico, eu pude continuar de algum modo o legado do pai dela, que foi interrompido tão bruscamente pela morte precoce.

Olhando para trás, sinto que se eu sobrevivi ao parto — uma criança já desenganada pelos médicos —, deve ter sido porque eu queria muito viver ao lado dessa mulher. Eu sabia que, por mais que me machucassem, por mais que esse mundo me assustasse, ela sempre estaria ao meu lado.

Mãe presente

Alda viveu a minha vida. Alda vivia para mim. Acho até que ela satisfazia o desejo de ser uma artista, de viver a arte, através de mim. Por ser tão presente em tudo o que eu fazia, eu costumava dizer aos meus irmãos que ela gostava mais de mim do que deles.

— Xuxa, não fala isso, não é verdade — dizia, com um sorriso e olhos bondosos.

Durante minha carreira de modelo, eu a levava para cima e para baixo. Em todas as minhas fotos e nos desfiles, lá estava dona Alda. Confesso que as equipes — fotógrafos, estilistas, maquiadores — até reclamavam no começo. Mas logo ela foi considerada uma presença fundamental.

Uma vez, eu ia fazer uma foto para a revista *Ele Ela*, cujo tema era "Carnaval sem censura". Ia ser uma página dupla com a imagem da minha... bunda! Chegamos ao estúdio, minha mãe e eu, e só escutamos o fotógrafo dizendo:

— Ela trouxe a mãe, que chato.

Para não causar problema, Aldinha foi para um canto, sentou-se longe do estúdio e começou a observar o fotógrafo enquadrar minha bunda com umas franjinhas caindo sobre ela, como se fosse a parte de uma fantasia. Mas algo não estava dando liga na foto. Ele tentava, tentava e não gostava muito da imagem. Era um monte de franjas que mal dava para entender o que estava por detrás.

Minha mãe, com toda a calma e paciência do mundo, chegou perto do fotógrafo e disse:

— Meu filho, se é foto de Carnaval, você não acha que tem muita roupa?

— Acho que a senhora tem razão — disse ele, sem acreditar —, mas eu não sei o que fazer. Não sei como diminuir essas franjas.

Ela pegou uma tesoura e cortou um pouco da quantidade e o comprimento. Fez de um jeito que dava um caimento lindo. Que revelava e, ao mesmo tempo, destacava.

— Ficou ótimo, dona Alda! — Surpreendeu-se o fotógrafo.

— É, mais ainda falta alguma coisa, não acha? — devolveu ela, que saiu da sala e voltou com um pouco de óleo corporal.

— Vou passar um óleo na bundinha dela, que vai parecer que está suando. Ninguém dança Carnaval sem suar. E precisa de um pouco de movimento. Posso fazer um teste com um secador?

— Pode... — disse o fotógrafo, nessas horas já amando a presença dela.

Minha mãe ficou do lado, com um secador, jogando ar na minha bunda cheia de óleo, as franjas balançavam e a foto ficou perfeita! Parecia que tinha saído de um baile de Carnaval.

Ela não via simplesmente a bunda da filha. Ela queria uma foto bonita, artística, que, por acaso, era da bunda da filha. Se fosse foto do dedo, da boca, do olho ou da bunda, tanto fazia, ela queria algo lindo. Todos começaram a se apaixonar pela visão estética que ela tinha.

Assim acontecia também nos desfiles. Teve uma vez que eu estava fazendo uma prova de roupa com uma estilista, e era de um vestido que tinha uma anágua. A anágua é um tipo de saia que fica por debaixo da roupa, para que não fique transparente. Mas, para o desfile, não estava ficando legal. Era algo muito careta. Sem vida. E minha mãe falou, com uma doçura só dela:

— Será que não fica melhor sem a anágua?

— Mas vai ficar um pouco transparente — disse a estilista.

— Eu sei. Claro que na sua loja as clientes vão comprar com anágua, mas desfile é algo diferente, é para causar impacto. E uma transparência fica bonito.

Provamos sem a anágua e... bingo! Ficou perfeito. Chamava atenção, como a estilista queria. Tanto que ela tirou a anágua de todas as modelos. Foi um show de transparência, e o desfile, claro, muito elogiado.

Por diversas vezes, como eu recebia mais atenção e era chamada para abrir e encerrar os desfiles, algumas modelos tinham um pouco de ciúme. Então, passei a sofrer algumas sabotagens. E minha mãe estava sempre pronta para resolver tudo — não sei como nem de onde ela tirava tanta ideia.

Em um desses eventos, era para eu atravessar a passarela com um biquíni, todo bordado à mão, lindo, que tinham criado especialmente para ser a peça mais chamativa da noite. Mas a parte de cima "sumiu" misteriosamente. Já estava certo que eu não iria mais fechar o desfile, quando minha mãe chegou com dois peixes de palha, feitos como se fossem um leque, e falou para mim:

— Filha, coloca a parte de baixo do biquíni e, em cima, entra com os peixes na frente.

— Mas, mas, com o peito de fora?

— Com o peixe, ninguém vai ver nada.

E lá fui eu. Ainda entrei de costas e foi um "ooooooh" geral, pois parecia que eu iria fazer um topless na passarela. Virei, e lá estavam os dois peixes de palha. Saiu nos jornais, foto em tudo quanto era lugar. Foi o auê do desfile! Sabe o tal ditado de fazer do limão uma limonada? Pois é, esse era o lema da minha mãe.

Uma vez, quebraram o salto de um dos meus sapatos antes de eu entrar e tive que calçar dois pés direitos. Claro, meu pé esquerdo ficou completamente machucado. Reclamei para ela e disse que nem tinha conseguido desfilar direito.

— E por que você não tirou os sapatos?

— No meio da passarela, mãe?

— Ué, não é vestido de festa? Você estaria representando o fim da festa. Quantas vezes as mulheres não dançam ou saem no fim da festa descalças?

Fiquei com aquilo na cabeça até que, em outro momento, aconteceu: *plec!* O salto — que eu senti que estava bambo — se quebrou no meio de um desfile. Sabotagem ou não, me lembrei da minha mãe, tirei os sapatos e saí andando com eles apoiados no ombro, como se estivesse no fim da festa! A estilista, que estava sentada na primeira fila vendo aquilo, levantou a taça e brindou a minha atitude. Eu, abusada, ainda fui até ela e peguei a taça, levantando um brinde também. Mais fim de festa, impossível! Nos bastidores, entre todas as outras meninas, fui parabenizada pela ideia. Pela ideia da Aldinha, que, orgulhosa, sorria como cúmplice para mim.

Como eu tinha sofrido muito bullying, sempre duvidava da minha beleza.

— Mas, mãe, as outras meninas são mais altas do que eu, mais magras do que eu, mais lindas do que eu!

Ela olhava bem nos meus olhos e falava:

— Xuxa, ninguém é melhor do que você nisso, e você não é melhor do que ninguém. Então, você pisa naquela passarela acreditando que você é a mais alta, a mais bonita. Só assim você vai conseguir se destacar.

Era o que eu fazia. E dava certo. Se eu consegui recuperar um pouco de minha autoestima depois de tanto bullying, foi graças a ela.

Girl power

O início da minha carreira foi um sonho. Tudo parecia um conto de fadas, uma coisa meio Cinderela, sabe? A menina do interior do Rio Grande do Sul, criada no subúrbio do Rio de Janeiro, vítima de bullying constante, morando com quatros irmãos, um pai totalmente ausente, mas uma mãe inteiramente presente.

Eu estava vivendo meu sonho! Usava roupas que jamais poderia comprar, aparecia nas capas das revistas, conhecia gente nova — uns legais, outros nem tanto —, conhecia artistas, outras modelos... Eu não me drogava nem dava, mas nem por isso não era divertido! Entre essas pessoas que entraram na minha vida nessa época está Luiza Brunet. Lulu, como a chamo, é uma pessoa muito engraçada e linda. Lá, no início dos anos 1980, nossa conexão foi tamanha que ela, mesmo sendo apenas um ano mais velha, começou a se comportar como uma irmã, aquela que cuida de tudo. Sabe o que se fala hoje de parceria feminina, sororidade, *girl power*?

Luiza acreditava que deveria cuidar de mim. Ela sempre foi muito protetora e adorava me defender. Ela namorava e logo depois acabou se casando com o Gumercindo. Então, ela era toda responsável...

Naquele tempo, as modelos se juntavam em "panelinhas", formavam um grupo fechado de amigas e ninguém mais podia fazer parte dele, principalmente duas "cheinhas" — era dessa maneira que todos nos viam e nos chamavam. Éramos as modelos "cheinhas", aquelas com curvas. Para entender melhor isso, a moda era ser extremamente magra. Mas muito magra. A gente ainda estava numa fase que foi inaugurada pela modelo britânica Twiggy, bem magrela e dos cílios compriiiidos.

Já a Luiza e eu começamos com tudo em cima: tínhamos peito, bunda, coxas, enchíamos sutiãs e roupas de banho. Nós fazíamos todas as campanhas publicitárias e éramos convidadas para participar de desfiles internos das grifes, realizados só para os clientes comprarem peças. Com tanto trabalho pintando, faturávamos alto. Bem, pelo menos era muito dinheiro para uma menina suburbana.

Mas devo confessar aqui que a pressão pela magreza fazia com que a gente não ficasse feliz com nosso corpo. Então, vivíamos querendo emagrecer. Só querendo. Sabe qual era um dos grandes problemas? Gostávamos do café da manhã dos hotéis! Acordávamos cedo para comer o tal do café completo, que incluía tudo o que tínhamos (e não tínhamos) direito. Em casa, graças a Deus, nunca faltou comida. Mas eu nunca tinha visto aquele tanto de comida em um café da manhã! De verdade, nós comíamos muito! E a gente dizia estar fazendo regime, que era apenas chá ou café. Porém, tudo com muito pão, biscoito, manteiga... Pense em nós duas sozinhas nesses hotéis pelo Brasil afora! Sentíamos vontade de comer e... nos esbaldávamos! Moral da história: ficávamos com mais bumbum, mais peito.

Um dia, fomos contratadas para uma sessão de fotos no Nordeste. Já na cidade, acordamos cedo para tomar o tal do café do hotel. Em seguida, fomos à praia para pegar sol. Como não podíamos ter marca de biquíni por causa do trabalho, fazíamos topless, mas deitadas de barriga para baixo. Nosso objetivo era ficar lá até dar o horário da sessão fotográfica. No entanto, dormimos! Acordamos algum tempo depois com um zum-zum-zum. Era um time de futebol que passava por ali para jogar por perto. Eles pararam e ficaram olhando, olhando... Despertamos com a voz de 22 homens, rindo em volta da gente, mexendo com nós duas, sentados na areia. Ainda bem que não existia celular naquela época! Lulu acordou assustada e começou a xingar todos eles, mandava saírem dali, pedia para deixarem a gente em paz. Por me proteger como se fosse a minha irmã mais velha, ficou arrasada com a situação. A caminho do hotel, comecei a gargalhar e ela falou:

— Está rindo de nervosa, né? Porque não tem graça!

Aí eu ria mais ainda ao ver que a minha linda amiga e protetora, que queria só cuidar de mim, nem pensava que aqueles homens todos, sem exceção, ficaram loucos com suas curvas e beleza.

Lembrando dos banhos de sol, a gente ia para a casa de Coroa Grande para tomar sol "sem marquinhas". Ou seja, completamente nuas. Eu levava meu cão fila, o Xuxo, e ela, o marido. Os dois ficavam de guarda e vigiavam para ninguém chegar perto.

Certa vez, em um hotel em João Pessoa, tivemos uma "brilhante" ideia: transformar o banheiro do nosso quarto em uma sauna. Como? Fechando tudo muito bem e deixando a água do chuveiro o mais quente possível. Resultado: fogo. Começou a sair faísca dos fios, fui tentar desligar o chuveiro e acabei com a mão queimada. E Lulu correndo pelada pelo corredor para buscar ajuda. Imagina a cara dos funcionários vendo aquele mulherão?

Eu? Achava graça em tudo. Era a irmã mais nova, meio pirralha, meio ingênua demais para aquele corpo de mulher. Ah, e, sim, durante todo o começo da carreira de modelo, ainda virgem.

O "rei" e eu

A TAL DA VIRGINDADE ERA UMA COISA QUE ME PERSEGUIA. Eu queria deixar de ser virgem logo pra aquilo "passar". Era quase como algo de que eu tivesse que me livrar. Já tinha dezessete para dezoito anos, era considerada símbolo sexual — e virgem!

Uma das primeiras coisas que me ensinaram quando fui posar para fotos era a "cara de tesão". Com a boca meio aberta, os olhos apertados... E lá estava eu — uma menina, chegava a ser boba — fazendo cara de tesão para a foto.

Você pode estar se perguntando, para uma bobinha como eu era, como é que cheguei na cara de tesão? Eu usava uma técnica: colocava um lápis na boca para ficar entreaberta, puxava o ar para dentro, fazia olhar de mormaço e logo depois tirava o lápis, mas sustentava a boca e o olhar. Essa era a minha cara de tesão!

Mesmo com a tal da cara, eu continuava uma boba. Uma cabaça, como diziam. Quando minhas colegas começavam a falar sacanagem e eu chegava perto, elas paravam.

— Opa, opa! Parou o assunto. Cabação está na área.

Sim, era chamada de "Cabação", por nunca ter tido um relacionamento de verdade. Uma vez, tinha que fazer umas fotos de biquíni e falei que não poderia posar porque tinha acabado de ficar menstruada.

— Usa um absorvente interno, Xuxa — sugeriu uma produtora.

— Eu não sei colocar... — disse, sem jeito.

— Eu te ensino — devolveu a produtora.

E eu comecei a chorar. Chorava por tudo!

Imagine você, que está lendo este livro, o nó na cabeça da pessoa: eu já tinha feito fotos nua, com a autorização assinada por meus pais, mas nunca tinha transado com ninguém. Para te falar bem a verdade, eu não via o nu como maldade ou algo sexual. Era uma coisa normal. Era tomar sol na laje sem biquíni. Todo mundo nasceu pelado. Mas, alçada ao posto de símbolo sexual, eu não tinha tido um namoro de verdade.

Meu pai era militar, tinha uma coleção de armas, e eu era a caçula da família. Nessas horas — para mostrar que mandava na filha —, aí, sim, ele era presente. Eu queria namorar um garoto, o Marquinhos, e um dia ele pediu ao meu pai para me levar ao clube. Ele concordou, mas nesse momento pegou uma arma e começou a limpá-la de uma maneira ameaçadora, afirmando que eu tinha que voltar cedo. Marquinhos, claro, desistiu, assustado.

No meu sonho de príncipe encantado, o príncipe era negro. Sempre tive uma atração pela beleza de homens morenos e negros. Era o tipo que mais me atraía. Tanto que, indo uns bons anos para a frente, certa vez eu tive um namorado que vivia brincando — acho que com certo ciúme — que, mesmo quando eu estava dirigindo e passava um homem negro correndo, eu "virava a cabeça para olhar". Pô, o bonito tem que ser olhado! Se achei o cara bonito de frente, quero ver se é bonito de costas. Não acho ruim olhar uma pessoa bonita, não tem a ver exatamente com algo sexual, é uma beleza.

Voltando aos tempos de modelo: marcaram uma sessão fotográfica para a revista *Manchete*. Era com o Pelé e outras modelos. Luiza Brunet também estava nessa. Eu achei o máximo poder conhecer o Pelé... poxa, era um ídolo brasileiro. E foi um cavalheiro naquela sessão. Depois, fiquei sabendo que ele tentou dar uma investida na Lulu que, como era comprometida, não se rendeu às cantadas dele. Então, ele pediu meu telefone.

No dia seguinte, meu pai me fala:

— Um guri acaba de ligar aqui para casa dizendo que era o Pelé, imagina! E eu falei que era a rainha Elizabeth e desliguei o telefone na cara dele.

Gelei! Era ele mesmo. E voltou a ligar. Começamos a nos falar sempre, pintou aquele clima. Fui me apaixonando. Até que ele me perguntou se eu era virgem, e eu disse que sim. Ele disse que não queria ter a responsabilidade de ser o meu primeiro homem. De novo, a virgindade me atrapalhando!

Demos uma afastada e eu tive um namoradinho. Acabei perdendo a tal da virgindade em uma transa não muito memorável em um carro, com um garoto da minha idade.

Um pouco mais tarde, eu e Pelé começamos a namorar. Foi o primeiro relacionamento de verdade, o primeiro homem mesmo.

O presidente e eu???

Tinha dezessete anos, já morava no Grajaú, no Rio, e estava no comecinho do meu relacionamento com o Pelé — as pessoas ainda não sabiam —, e um senhor que viu fotos e desfiles meus chegou até a minha casa. Ofereceu um excelente trabalho: as primeiras fotos nos Estados Unidos. Fiquei enlouquecida com aquela proposta! E ainda ganharia 2 mil dólares por dia de trabalho. Um dinheiro absurdo para uma suburbana como eu.

Mas, até por ser uma suburbana bobinha, eu nem imaginei que aquela história toda não batia. As fotos seriam em Cleveland — e não em Nova York, Miami, ou qualquer outra cidade com mais tradição em moda; por ser menor de idade, meus pais teriam que assinar uma autorização para que eu pudesse viajar. E lá fui eu. Pelé ainda me deu o telefone de uma secretária dele, de Nova York, para qualquer eventualidade.

Peguei o avião no Rio, desci em LaGuardia, onde faria uma escala para ir até Cleveland, meu destino final. Eu, sempre querendo falar com as pessoas, ficava procurando alguém com cara de brasileiro na sala de espera. E achei um senhor, fui até ele:

— O senhor é brasileiro?

— Sou. — E sorriu.

— Eu também!

— Percebi.

— Sou modelo. Eu estou indo tirar fotos em Cleveland!

— Cleveland? Certeza? Mas lá só tem indústria, hospital... — disse ele, com um jeito bem desconfiado.

— Sim, em Cleveland, olha só a minha passagem.

— Você é menor de idade? Qual seu nome?

— Sim, sou. Meu nome é Xuxa.

— Xuxa, eu vou te dar o meu cartão, o.k.? Sou um militar e trabalho aqui nos Estados Unidos. Nesse cartão, você vai encontrar o telefone da Barbara. Brasileira também e minha secretária. Qualquer problema que tiver, você liga para esse número. Tá bom, minha filha?

— Claro, imagina, não vai ter problema, não. São só umas fotos.

O avião pousou em Cleveland e já tinha um moço me esperando. Era um carro preto, bonito. Achei chique. E ele iria me deixar no hotel. Ele se apresentou e... era brasileiro! Pronto, fui contando a minha vida para ele. Tagarela que sou, não parei de falar. E ele parecia estar se divertindo. Até que eu perguntei:

— Sabe que horas a sessão de fotos começa?

— Fotos? Que fotos?

— As fotos que eu vim até aqui fazer. Me contrataram para isso!

Eu devia ter sacado. Hoje, me lembro do rosto dele, me olhando pelo espelho, com os olhos arregalados, como se quisesse me falar alguma coisa. Mas eu não parava de falar. Até que ele me interrompeu:

— Estamos quase chegando. Escuta, fica com meu telefone. Qualquer coisa, você me liga.

— Gente, mas você é o segundo brasileiro que me dá o telefone hoje! — ainda brinquei.

No hotel, já tinha outra pessoa esperando. Passei numa lojinha de conveniência logo na entrada para comprar pipocas e balas. E essa pessoa foi me levar ao quarto. Ao chegar lá, vi, na porta, um militar. Com uma arma.

— Oi, esse é meu quarto. O que você está fazendo aqui?

Ele não falava nada. E eu só via a arma.

— Todas as meninas que vão fazer as fotos também vão ter um policial na frente do quarto?

E o cara, nada.

Foi só aí que comecei a achar estranho... No quarto, recebi a ligação do motorista brasileiro.

— Tá tudo bem? Tá tudo certo?

— Cara, tem alguma coisa estranha acontecendo. Tem um homem com uma arma na frente da porta do meu quarto.

— Menina, escuta bem, eu não sei o que te disseram, mas não tem foto nenhuma. Você vai receber uma visita, entre cinco e seis horas da tarde. Eu sei disso porque eu mesmo vou levar essa visita até o hotel.

— Mas... do que você está falando?

— É só o que eu posso te dizer.

Eu tentava ligar para a minha casa, no Rio, e a ligação caía toda vez. Ligava a cobrar e, mesmo assim, a ligação não durava.

— Alô?

— Mãe, estão dizendo que vou receber visita.

E a ligação caía.

— Alô?

— Pai?

E caía de novo!

Pensei, "vou tentar fazer uma ligação local", que estava liberada no quarto. Lembrei do telefone da secretária daquele senhor simpático. A Barbara. E liguei para ela. Despejei uma falação em cima dela: que estava trancada no quarto; que um cara armado não me deixava sair; que estava com fome, comendo só pipoca, e que não sabia pedir nada em inglês; que estavam dizendo que não teria fotos e que eu receberia uma visita. Ela disse que tentaria entender o que estava acontecendo e que me retornaria.

Nesse meio-tempo, me disseram que o então presidente e ditador militar João Figueiredo é quem iria chegar ao meu quarto — não sei se era dele realmente a visita. E que ele estava na cidade fazendo exames para uma operação no coração. Não entendi nada! O que ele queria fazer ali? Mas, ao telefone com a Barbara novamente, eu disse:

— Eu prefiro morrer do que ser tocada por alguém! E eu estou no segundo andar! Se eu pular da janela, nem morro, vou só quebrar a perna!

Ela havia conseguido, com o militar com quem trabalhava, a informação de que eu receberia mesmo uma visita. E me pediu:

— Mantenha a calma. Vamos pensar em algo. Você conhece alguém mais aqui no país? Preciso de todas as informações.

— Tenho o número da secretária do Pelé.

— Como assim, Pelé?

— É que eu estou começando a namorar com ele. Então, ele me deu o telefone dela.

— É isso!

— Isso o quê?

— Vou dar um jeito de chegar a eles que você é a nova namorada do Pelé. E que se algo acontecer com você, será um escândalo no país. Até fora dele. E que todos vão saber.

Barbara conseguiu articular a tal história. Tanto que a visita não apareceu, e um militar, que se identificou para mim como major Dourado, foi me buscar no hotel.

— Fiquei sabendo que você está com fome.

Ele parou em um restaurante e, enquanto eu comia, perguntei:

— Mas e as fotos?

— Não pergunta mais nada. Você termina de comer, vai para o carro e vamos te deixar no aeroporto.

Ele me entregou 4 mil dólares — que era o combinado por dois dias de trabalho — e deixou bem claro que eu não poderia falar nada do que havia acontecido.

— A gente sabe onde sua família mora. Então, se perguntarem, melhor dizer que foi tudo bem.

Não sei dizer por que fui a escolhida. Talvez por meu pai ser militar, eles acharam que seria mais fácil guardar o segredo? Voltei para o Brasil e contei a história em casa. Minha mãe ficou apavorada e meu pai disse que "não iria acontecer nada", que ele confiava nos colegas, não me fariam mal. Jamais soube com certeza quem seria a tal visita. Melhor assim.

Traída

Foram seis anos de namoro com o Pelé. Fizemos fotos juntos, éramos convidados para eventos, festas. Mas tenho sentimentos bastante contraditórios quando penso nessa época. Ele tinha mais de uma personalidade: o Pelé, para todo mundo, e o Dico, para mim. O Dico era aquele que jogava buraco com minha mãe, que era o meu namorado. E, às vezes, ele me falava:

— O Pelé precisa sair hoje.

E nessas eu era traída loucamente. Já aconteceu de, em festas, eu ver que ele estava com marcas de batom na boca que não era o meu. Para ele, aquilo era normal:

— As mulheres querem ficar com o Pelé.

Eu era muito novinha, sem qualquer experiência, então o que ele falava eu aceitava como verdade absoluta. Portanto, achava que ser traída era normal. E não era algo escondido, não. Virava e mexia, ele me dizia:

— O Pelé ficou com fulana. Guarda bem esse nome, que ela vai ser famosa.

O fato é que não deu para segurar. O relacionamento jamais teria futuro. E, ainda, ele chegou a dizer por aí, anos depois, que tivemos uma "amizade colorida". Para mim, sempre foi um namoro. Se para ele era "amizade colorida", não fui avisada.

Voando do ninho

Agora, pense que aquela menina que eu era, apegada à mãe, que vivia com ela em todos os trabalhos, teve que voar do ninho para ir morar em Nova York por um período. Ainda namorava o Pelé, tinha meus dezenove anos. Foi tão difícil... Mas eu tinha contrato com a Ford Models e comecei a fazer muitos trabalhos pelos Estados Unidos. Então, era natural que eles quisessem investir na minha carreira internacional.

E lá fui eu, meio assustada, pela primeira vez viver longe da minha casa. Não dava para ficar ligando para minha família, era muito caro. Nem tinha celular. A saída que encontrei? Ficava gravando fitas cassete, como se fosse um diário. Eu chorava, dizia a saudade que tinha da minha mãe, do Xuxo, meu cachorro. Era complicado.

Como eu trabalhava bastante — graças a Deus —, a rotina era a seguinte: de segunda a sexta-feira, nem arrumava o apartamento. Não dava tempo. Imagina o que não era um apartamento pequeno, quarto e sala, no auge da bagunça e de roupas espalhadas? Eu tinha uma polaroide e, por vezes, fotografava aquela zona e mandava por carta para a minha mãe. Ela ficava horrorizada e me respondia dizendo: "Minha filha, não te ensinei isso!". Mas era limpar ou dormir!

O sábado era o dia do faxinão. Botava tudo pra baixo. Limpava, ia até a lavanderia para lavar as roupas, do jeito que os americanos fazem. Levava moedas, sabão e amaciante, colocava nas máquinas e ficava esperando lavar e secar.

Além disso, eu tinha que fazer a minha própria comida. Foi minha época mais magra, cheguei a pesar 54 quilos. Claro que andar de bicicleta também acabou contribuindo para isso. Eu ia para cima e para baixo de bicicleta. Nunca tomava táxi, nem metrô, nada. Fiquei magra e sarada. As pessoas diziam:

— Que corpo você tem!

Mas é claro! Eu só andava de bicicleta, o dia inteiro, para todo lugar que ia. O fato de andar tanto assim também me custou alguns bons dólares: me roubaram três vezes e tinha que comprar outra bicicleta.

Quando voltei a morar no Brasil, minha mãe me perguntou:

— Como foi tudo?

Eu dei a caixa com as fitas cassete que havia gravado e falei:

— Toma, quando a senhora tiver tempo, escuta isso.

Marilyn, Doris Day e Peter Pan

Quando era modelo, era como se brincasse de ser outra pessoa: usava roupas que não eram minhas, caras e bocas que não eram as minhas. Fui ter minha personalidade quando virei apresentadora infantil. Mas não podia imaginar, nem nos sonhos mais loucos, que iria acontecer tudo o que aconteceu na minha vida.

Explico: queria ser veterinária ou bióloga, tudo para poder viver perto dos bichos. Comecei a fotografar achando que seria por um curto período, tanto que cheguei a prestar vestibular. Morava no Grajaú, na época, tinha uns dezessete anos e meu plano era prestar biologia e depois veterinária.

Passei em biologia — minha mãe fez a maior festa! — e tentei frequentar as aulas, já que na minha cabeça eu precisava estudar, pois não duraria muito como modelo. Tentei ir às aulas durante um mês. O trabalho começou a ficar tão intenso que eu não consegui ir mais. Sentia um sono danado. Tranquei a matrícula e não deu mais para voltar.

Era como se o futuro preparasse algo para mim e não tinha jeito de desviar da rota. Lá estava eu, cheia de trabalho como modelo e pintou a primeira oportunidade para a TV, ainda aos meus dezessete anos.

Ah, a televisão! Aquela caixa mágica que chegou à minha vida aos dois anos de idade, quando me apresentaram à Rede Globo e foi amor à primeira vista. Pelo menos naquela época, ainda era platônico. Só eu amava aquela emissora, ela ainda não sabia de minha existência. Aos cinco, sonhava em cantar no *Cassino do Chacrinha*. Aos sete, a novela *Irmãos Coragem* e o *Sítio do Picapau Amarelo* faziam parte do meu dia a dia. *Sessão da tarde* era quase lei! Tudo acontecia em frente à telinha da Globo: comer, brincar, dormir.

Aos domingos, a família toda assistia aos *Trapalhões* e ao *Fantástico*. Pensava em trabalhar lá? Não! Era inatingível... Tanto que arquivei o sonho de cantar no *Chacrinha*. Afinal, cantar era algo impossível para mim. Aí, virei modelo e veio o convite: figuração em *O planeta dos homens*. O começo foi bem legal, mas o trabalho era duro: chegava ao meio-dia e saía às três da manhã. Eu tinha passado nos testes e estava me achando! Contei para todas as amigas que iria aparecer na TV.

Até que comecei a ser perseguida pelo diretor. Ele falava no *talkback* (microfone que fazia sair a voz por todo o estúdio):

— Menor? Vai sair comigo?

Eu balançava a cabeça negativamente e, logo depois, vinha a voz de novo:

— Pode voltar para casa, então.

Isso aconteceu algumas vezes... Cabisbaixa, eu sempre respondia "não". Ele me tirava da cena ou me dispensava. Era um climão, e imagino que muitas ainda passem por isso, sendo encurraladas, abusadas, humilhadas. E olha, aquilo tudo era tão grande para mim que fazia de tudo para estar ali. Dormia na casa da Luiza Brunet depois, pois não tinha condução para voltar para Bento Ribeiro.

Como o assédio era praticamente diário, eu já estava quase desistindo da carreira na TV, quando me deram uma fala pequena. Uau! Sabe o que é isso? Eu iria falar! Não era só fazer figuração.

No dia, já pronta, maquiada e de biquíni, o tal diretor veio ao palco, passou a cena e fez de novo aquela pergunta...

— Menor? Vai sair comigo? Se a resposta for não, vai para casa e não volta mais.

— Nããããoooo — eu disse, com gosto.

Saí de lá e nunca mais voltei.

Já como modelo, imagina você que eu estava no programa do Ziraldo[3] divulgando uma revista masculina da qual eu era capa. O inesquecível diretor Mauricio Sherman estava por lá e me convidou para fazer um programa infantil na TV Bandeirantes.

— Quero você em um programa para crianças.

— Mas eu já posei nua, você não viu a revista aqui — respondi, meio sem entender o que ele via em mim.

— Qual o problema? Isso te limita? Essas fotos te definem? Você é maior do que isso, Xuxa. Você tem o sorriso de Doris Day, a sensualidade de Marilyn Monroe e uma pitada de Peter Pan.

Com essa resposta, eu concordei. Não, fotos não me limitavam. E era, a princípio, um trabalho como outro qualquer. No dia da reunião, o assistente dele não deixou minha mãe participar.

— O que você quer tanto falar que minha mãe não pode saber?

Ele sorriu, de uma maneira sacana, e reafirmou:

— Com ela, você não entra.

Prontamente, dei as costas ao indivíduo e voltei para casa.

Mas ele parecia não se esquecer de mim. Após um ano, já na Rede Manchete, Sherman me encontrou de novo. Ele disse que não tinha desistido de mim, e que não havia entendido o motivo de eu não ter sequer falado com ele sobre a proposta da TV. Contei sobre o assistente e ele ficou horrorizado. Me pediu desculpas, disse que iria resolver o assunto com a tal pessoa e pediu que eu aceitasse o convite para um teste. E, finalmente, aceitei. A verdade é que não

[3] Nos anos 1980, o cartunista apresentava, na TV Bandeirantes, o programa *Etc*.

tinha tirado da cabeça a frase linda que ele havia me dito naquele dia do programa do Ziraldo.

O que eu não sabia é que, a partir do *Clube da Criança*, na extinta Rede Manchete, eu iria me encontrar, iria descobrir o que queria fazer com todo o amor e a verdade do mundo. Obrigada, Sherman.

Sem filtro, com muito amor

Posso não ter feito faculdade, mas o *Clube da Criança* foi um curso superior, emendado com doutorado em criança. Era uma loucura! A equipe era pequena, e durante muito tempo trabalhei sem qualquer assistente. Ou seja: eu estava ali, no meio de um monte de criança — que só faz o que quer —, só que com câmeras de TV.

Levei incontáveis pisões. E dei até umas broncas quando eles estavam passando dos limites para a TV. Mandei a Claudia "sentar lá", falei para todo mundo colocar a "salxuxa" pra dormir (uns balões enormes, em formato de salsichas), para poder gravar e para que ninguém se machucasse. Não tinha como, ou eu colocava alguma ordem, ou não tinha programa.

E, ao me colocar no meio das crianças, eu me sentia como uma delas, respondia à altura delas, como se fosse uma delas. Não tinha filtro, não. Lembra da minha promessa de nunca apertar bochechas ou tratar de maneira infantiloide? Pois bem, eu mantive. E, o que acabou chocando algumas pessoas, que diziam que eu era muito direta ou até grossa, era o que fazia essas pessoinhas gostarem de mim.

Eu era — e sou — tão real com elas que elas sabiam que eu estava sendo verdadeira. Pronto: a conexão estava feita. E, pela primeira vez na vida, eu me sentia no lugar certo. Sabia que estava fazendo o que eu queria fazer da vida.

Fui para a Manchete com uma condição: assinar um contrato de um mês. Se não gostasse, pulava fora. Depois, assinei um de três meses e fui ficando. Tanto que a agência me colocou na parede: não dava para ficar negando trabalhos por causa do tempo que passava nos estúdios. E olha que, nas primeiras semanas, ainda passava de segunda a sexta-feira em Nova York e vinha para a Manchete, no Rio, para gravar aos sábados e domingos. Fiz isso por um tempo, mas não teve muito jeito: precisei escolher entre a carreira de modelo e a de apresentadora infantil. E, como eu havia me encontrado no meio daquelas crianças, a modelo dançou.

E tinha o seu Adolpho Bloch, fundador da Manchete, que me tratava com um respeito e com um carinho que jamais tinha recebido em trabalhos anteriores. Na verdade, ele agia como um pai para mim. Tanto que, no meu aniversário de 21 anos — o primeiro que comemorei na frente das câmeras —, ele foi até o estúdio de surpresa. Eu estava com um vestido branco, meio rodado, que havia usado no Ano-Novo. Não tinha figurinista nem essa coisa de emprestar figurino de loja, então fui com aquele vestido mesmo — afinal, era um programa especial. Ele desceu no estúdio, passou na frente das câmeras com aquela cabecinha branca, e eu só ouvia:

— Tira esse cara daí!

Até que perceberam que era o seu Adolpho! E todo mundo ficou quietinho. Eu o abracei, ele pegou o microfone e disse:

— Eu estou aqui, pois hoje é seu aniversário e eu quero dançar a valsa com você.

Eu ficava repetindo que não sabia dançar valsa, meio sem jeito. E o sonoplasta começou a tocar "Danúbio azul". E dançamos. Tudo isso por ele saber que uma das minhas frustrações era a de não ter tido uma valsa, aos quinze anos, com meu pai. Minhas duas irmãs tiveram a festa, e eu não. Contei isso a ele, que guardou o fato em sua cabeça.

Falava diretamente com ele, tinha o telefone da cabeceira da cama dele. Ele me deu toques do que eu não deveria falar — eu não entendia nada de entrevistas, de mídia. Certa vez, fui ao sítio dele, cheio de cachorros, dálmatas. Cheguei lá, tinha um monte de gente me esperando e fui primeiro falar com os cachorros. Algumas pessoas questionaram:

— Ela chega e vai direto falar com bichos, sem falar com a gente?

— Está certa ela! Aqui não tem ninguém melhor do que meus bichos — respondeu ele, com todo o carinho e cuidado que tinha por mim.

Indo um pouco para a frente, uma das imagens mais fortes em minha mente — além da valsa dos meus 21 anos — aconteceu dez anos depois, no meu aniversário de 31. Chamei 31 pessoas para celebrar e ele se sentou ao meu lado. Com as mãos trêmulas, ele pegou nas minhas mãos e me disse:

— Você é minha filha, né?

— Sou, seu Adolpho, sou.

E, nesse tempo todo, o Mário Lúcio Vaz, um dos diretores da Globo e por quem também tenho a maior gratidão, estava de olho no meu trabalho e por várias vezes quis falar sobre contratação comigo. Foi difícil deixar seu Adolpho, chorava muito nessa época. Mas o Boni (diretor-executivo da Globo na época) ofereceu uma estrutura de produção que jamais teria na Manchete. E ainda colocou o meu nome no título da atração: *Xou da Xuxa*. Aquilo era inacreditável!

Fui falar com o seu Adolpho da proposta, da estrutura, do que a Globo me oferecia. Ele fechava os olhos, colocava a mão nos bolsos e dizia:

— Vai, minha filha, vai. Eu não tenho dinheiro para te pagar. Vai crescer, vai voar.

Foi a coisa mais linda. Obrigada, seu Adolpho.

Coragem

Eu tinha 23 anos e ainda muito o que aprender. E pensar que a suburbana iria para a nossa Globo de todos os dias, com o seu nome no título da atração! Nem nos meus sonhos mais loucos eu poderia ter pensando naquilo.

Sem saber que tudo daria tão certo, com a cara e a coragem — e o coração partido por deixar seu Adolpho —, fui para a Globo, sendo recebida como rainha e com muito carinho. O Mário Lúcio reuniu alguns diretores para que eu escolhesse quem cuidaria do *Xou da Xuxa*. Entre eles, estava o assediador de quando eu fazia figuração n'*O planeta dos homens*! Olhei bem para o dito-cujo e pedi:

— Pergunte meu nome.

Ele riu:

— Qual é, Xuxa?!

— Por favor, pergunte meu nome — repeti.

— Qual o seu nome? — perguntou, contrariado.

— Prazer, sou a menor, e você não será o meu diretor. Pode sair.

Ele foi embora e todos quiseram saber o que tinha acontecido. Sei que existem muitos patrões como ele, mas acredito que o mundo dá voltas! Nunca faça o que não quiser fazer, garanto que a coragem valerá a pena.

Cantora? EU?

TUDO BEM, EU SONHEI EM CANTAR NO *CHACRINHA*. Mas isso foi aos cinco anos e eu não tinha a menor noção de que não canto NADA. Todo mundo sabe que a minha voz é minúscula, cantar seria um privilégio se eu tivesse nascido com o dom de ter uma linda voz, mas, infelizmente, não tenho. E sei muito bem de minhas limitações.

Fiz meu primeiro disco ainda na Rede Manchete. Era o *Xuxa e seus amigos*. Um desastre para mim. Chorei ao entrar no estúdio, chorei para cantar e também chorei ao sair, mas era uma necessidade, já que o programa precisava. E era um disco em que dividia vocais com outros cantores, com as vozes já gravadas. Então, achei que seria aquilo e nunca mais.

Ao entrar na Globo, com meus 23 aninhos, eu era a grande promessa da casa para o mundo infantil. Foi quando me apresentaram ao João Araújo, pai do Cazuza, presidente da Som Livre, e ao Guto Graça Mello, produtor de disco, com a incumbência de me fazerem cantar. Me deram três músicas: "Amiguinha Xuxa", "Doce mel" e uma terceira, que não me lembro, para fazer um teste. Cantei. Sofrendo, mas cantei.

E fui apresentá-las a algumas pessoas.

Imagine o que não falaram?! Uma mulher com voz de criança, sem grave nenhum, sem ferramentas para afinar a voz, sem ajuda nenhuma da tecnologia para melhorar os tons. Eu já chegava arrasada no estúdio e ficava mal até o término das gravações.

Apostas tinham sido feitas de que eu não ficaria nem um ano na casa, que eu não venderia nem 100 mil cópias e que, claro, como eu não cantava NADA, viraria piada.

Mas eu pensava comigo:

— Que bom que são só três músicas.

Engano meu, logo depois pediram mais dez que deveriam ser gravadas, mixadas e colocadas à venda em um disco que daria um suporte musical ao programa. Não tínhamos músicas nem tempo para isso, mas deram 28 dias para o disco estar pronto.

Como seria possível, se ninguém queria dar músicas pra tal da Xuxa? Tadinho do meu produtor, que foi pedindo nos corredores: ligava, perguntava se alguém tinha alguma música infantil para uma loira que ia vir num disco voador... Nessa, tive uma sorte: uma das músicas que gravei, "Peter Pan", é da Rita Lee! Sou fã da Rita desde adolescente. Achava o máximo músicas como "Ovelha negra", "Flagra"... E, como o Guto também produziu discos da Rita na Som Livre, ela gentilmente nos deu a música. Mesmo sem saber se aquilo daria certo ou não.

Depois de muito sufoco, conseguiram mais músicas e eu seguia tentando colocar voz nelas. E foi assim, entre choros no estúdio, que gravei as músicas. Se você prestar atenção, em "Doce mel" minha voz parece até mais grossa, soa meio estranha: é que eu tinha chorado para caramba. E ficou daquele jeito. Dá para sentir que eu não estava confortável.

Depois da gravação, peguei uma foto de moda que fiz em Nova York, da época em que eu modelava pela Ford Models, para a capa do disco e pensei comigo: "Seja o que Deus quiser".

O disco foi para a produção. Ouvi tanto que não iria chegar perto do Balão Mágico, que eu tinha convicção de que eles estavam mais do que certos, mas aconteceu algo que ninguém imaginava:

vendi 100 mil cópias no primeiro dia e, na primeira semana, já tinha ganhado um disco de platina, com 250 mil cópias vendidas. E, semanalmente, alguém entrava na sala do João Araújo e dizia: "Platina duplo, platina triplo"... Por minha causa, inventaram o disco de diamante, para mais de 1 milhão de cópias vendidas. E não parava de vender! Em dois meses, mais de 2 milhões de discos haviam sido vendidos.

Mas como que uma pessoinha sem voz consegue isso? Pensei: "Pronto, é a força da Rede Globo".

Recordes

Sim, era a força da Globo junto com a vontade de uma legião de crianças, mães e adolescentes que simplesmente queriam aquela voz pequena sendo tocada na sua vitrola. E os discos viraram parte do negócio. Tinha que gravar todo ano. O *Xou da Xuxa* 3 (aquele com "Ilariê") se tornou o disco infantil mais vendido do mundo! Está até no *Guinness*, o livro dos recordes. E eu estou entre as três mulheres que mais venderam discos no país, ao lado de Rita Lee e Angela Maria. Rita Lee, Angela Maria e... Xuxa! Como consegui bater recordes com essa voz minúscula? Como estou numa lista de cantoras ao lado de ídolos como a Rita?

Claro que, com o sucesso, muita gente fica incomodada... Só posso pensar que é inveja. Até hoje tem quem fique falando da tal história que se tocar uma música ou outra ao contrário, escutam uma mensagem maligna. E não tem nada. Nada. As pessoas ficam procurando qualquer coisa para atacar alguém e deduzem, naquela maçaroca de sílabas maluca que acontece ao rodar um disco ao contrário, que alguma mensagem satânica está sendo passada. Eu tenho uma teoria: essa mensagem do mal está na cabeça de quem ouve. Meus discos sempre foram para levar alegria, para levar mensagens positivas e amor. E Deus é amor. Eu só consegui tudo o que tenho, pois Ele quis assim. Deus sempre esteve ao meu lado.

Mas, se tem uma coisa que aprendi na vida, é que não adianta nada discutir com pessoas estúpidas, que inventam histórias horrorosas. Nunca tive pacto com coisa ruim, sempre tive Deus. E sempre acreditei que o que vai, volta. Então, nunca quis dar palco para isso.

O que sei é que tive a sorte de gravar música de tanta gente boa! E músicas que viraram hinos de gerações. Além de "Ilariê" e "Lua de cristal", "Arco-íris" é uma canção muito forte, que mexe muito com as pessoas... Atualmente, se tornou um símbolo para meus fãs LGBTQIA+.

Ouço, até hoje, com muito carinho, muita gente dizer que cresceu ouvindo minhas canções, que seus filhos também ouvem em meus DVDs. Alguns dizem com muita propriedade que eu mudei a vida deles com as mensagens das músicas. Há quem diga que aprendeu a amar a natureza e a respeitar os animais com minhas músicas. Isso faz até com que as horas traumáticas de estúdio tenham valido a pena.

Ouço tudo isso e nunca poderei agradecer à altura, pois amor não se agradece e minha história é repleta desse sentimento.

Na praia de Tramandaí (RS), onde a minha família passava as férias quando morávamos lá. Na foto: Aldinha, Mara, Sola e eu, aos cinco anos de idade e amando estar na frente!

Fotos acervo pessoal

Aos sete anos, com uma das fantasias do Carnaval de Santa Rosa. Aldinha não só amava colocar fantasias nos filhos, como criava, cortava e costurava tudo.

Fotos acervo pessoal

Um churrasco desses de Santa Rosa. Eu sou a que tá olhando para a câmera, à direita. Certamente, comi só pão (como sempre). Carne eu já não digeria e não queria nem saber dela.

Aos treze anos, na praia da Barra com Alvaro, meu cunhado, e Alessandro, meu primeiro sobrinho e afilhado.

Quando ganhei o Miss Objetiva. Reconhecem? Sou a da esquerda.

Primeira capa de revista (1979).

Essa era a "cara de tesão" que treinei para conseguir fazer quando ainda era virgem.

Duas poses no começo da carreira.

Com Luiza Brunet, minha "irmã um ano mais velha" protetora.
Abaixo, alguns desfiles. Reparem bem nos looks anos 80!

Fotos acervo pessoal

Essa era minha agenda de modelo em Nova York. É a primeira vez que a mostro!

Tenho esse urso de pelúcia que aparece na polaroide até hoje. Vire a página para ver algumas anotações e fotos da época.

PEOPLE

900 am 15 W 18TH STREET

ATÉ 5 PM

- FOTOS PARA ~~[illegible]~~ REVISTA -

ELLE

GEORGE BARKENTIN

NSES MEMORY

END

BEGIN

ILY
TUE WED THU FRI SAT SUN

DATE 05/17/85

SCHEDULE
ACTION LIST TO DO

PEOPLE

new york time
newspaper.

12-3.

$ 150 p/ HORA.

PLACES

- 3 maios.
vai sair quinta feira
new york time

Fotos Ford Models

Fotos feitas para o meu book
da Ford Models, de Nova York.

Com Mauricio Sherman, o "vermelhinho", que disse que
eu poderia ser apresentadora infantil.

Fotos Acervo pessoal

No camarim do *Clube da Criança*, na Rede Manchete.

Acervo Manchete

No *Clube da Criança*, da Rede Manchete, encontrei quem eu sou de verdade. Está vendo o papagaio na foto abaixo? Foi dele que vieram as "paquitadas" todas. Afinal, dei a ele o nome de Paquito.

Ricardo Leoni/ Agência O Globo

Gravação do piloto do meu *Xou*, na Globo, com o cenário que não foi aprovado.

Adir Mera/ Agência O Globo

Meu *Xou da Xuxa*, em 1986: a alegria de sentir a energia dos meus baixinhos. Ao lado, a chegada na nave, que virou marca registrada.

Adir Mera/ Agência O Globo

Acervo pessoal

Na minha primeira turnê do *Xou da Xuxa*.
As Paquitas enchiam balões, faziam de tudo!

Ricardo Leoni/ Agência O Globo

Recebendo o título de cidadã carioca em 1988, na Câmara de vereadores do Rio, com Renato Aragão. Ao lado, no camarim: eu fazia a make e o cabelo e a mãe fazia as roupas.

Fotos Andre Wanderley

Xou da Xuxa 3, com "Ilariê", bateu recordes de venda. Essas fotos são da sessão para a capa e o encarte do disco. No alto, à esquerda, uma das dezenas de premiações que recebi pela vendagem do disco pela Som Livre.

Fotos Otávio Magalhães (acima) e André Durão/Agência O Globo (abaixo)

Acima, o carinho do público na porta do Teatro Fênix, em 1988, na comemoração dos dois anos do *Xou da Xuxa*, na Globo.

Com recorde de público no Maracanã lotado, no meu show da chegada do Papai Noel, em dezembro de 1989.

Marcio Lima/ Agência O Globo

Emoção: visitando Irmã Dulce, em 1989.

Fotos Acervo pessoal

Com Beco, no meu níver no restaurante
japonês Edo, que ficava na Barra.
O Serginho Mallandro pegou
o microfone para falar e, claro, fez
um stand-up. Beco e eu tínhamos
uma coisa de toque, de cheiro…
Parecíamos dois bichinhos.

Maletuxa, Camarim da Xuxinha e linhas de sandálias e botas: alguns dos produtos com o meu nome.

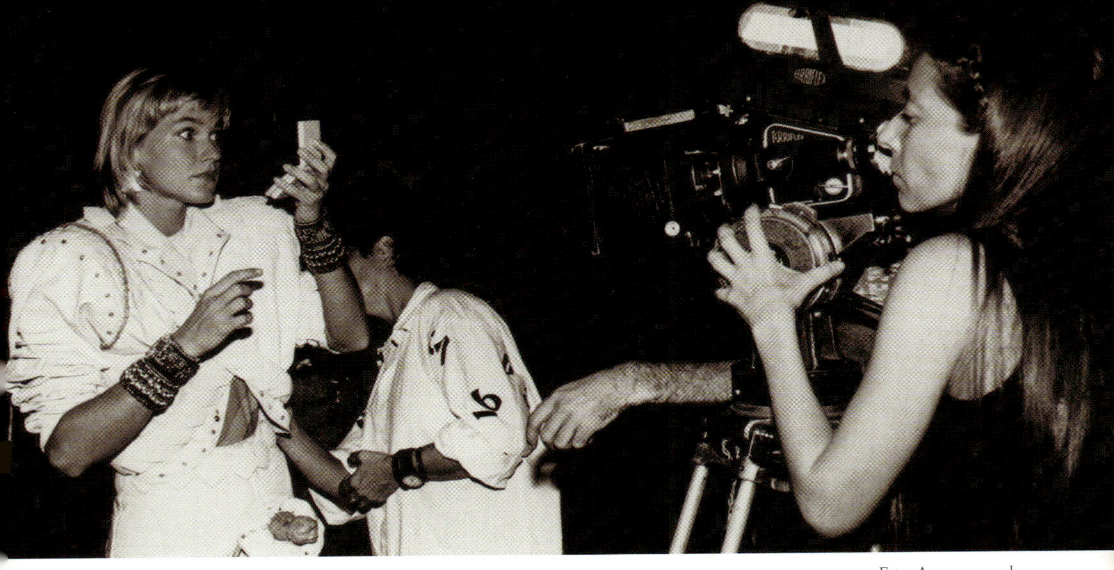

Fotos Acervo pessoal

Bastidores do filme *Super Xuxa contra Baixo Astral*. No camarim, minha mãe ajudando na produção. Abaixo, uma das fotos oficiais do longa, que foi um dos mais vistos de 1988.

GiselleChamma

Caracterizada para o filme *A princesa Xuxa e Os Trapalhões*. Marcelo Cavalcante fez esse figurino. O curioso é que colocaram gesso sobre meu corpo nu para fazer um molde para a parte de cima, toda de metal.

Bob Wolfenson

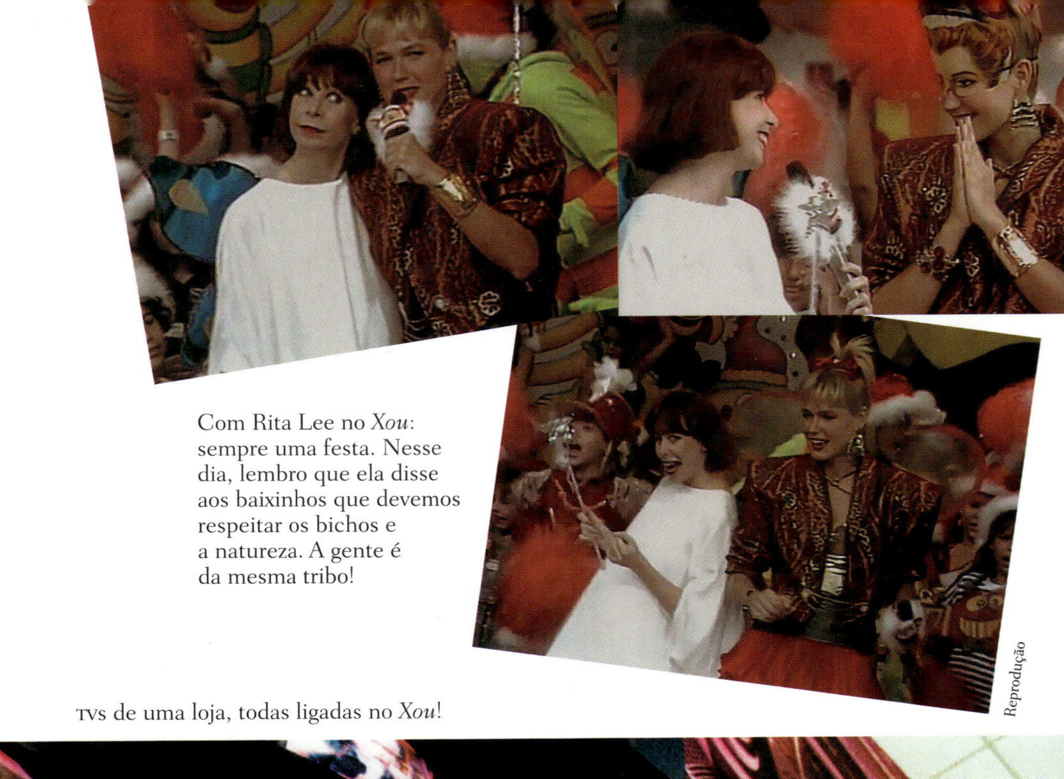

Com Rita Lee no *Xou*: sempre uma festa. Nesse dia, lembro que ela disse aos baixinhos que devemos respeitar os bichos e a natureza. A gente é da mesma tribo!

Reprodução

TVS de uma loja, todas ligadas no *Xou*!

Na frente da casa branca. Tinha acabado de acordar.

Até hoje como três ou quatro bananas por dia.

Fotos Bob Wolfenson

Fotos Frederico Mendes

No palco ou fora dele, sempre fui eu mesma. A propósito, esses figurinos foram desenhados e feitos por minha mãe, já com a ajuda do Marcelinho Cavalcante. Reparem nas pulseiras: Aldinha não sossegava enquanto eu não estivesse com os braços bem cheios!

Fotos Paulo Rocha

Sempre me conectei
com a natureza.
O mar, o verde,
os animais são
essenciais em minha
vida. Não consigo
entender como
alguém pode comer
um bichinho desses.
Olha para essas fotos!
Perceba o carinho
de Mimi comigo.
Ia atrás de mim
para onde eu fosse.
Tempos depois, voltei
para lá e aquele bicho
já enorme veio atrás
de mim, me
seguindo. Olhei bem
no fundo daqueles
olhos e reconheci:
"Mimi!".

Andre Wanderley

Acima, com Sérgio Mallandro em *Lua de Cristal* (1990), filme que levou mais de 5 milhões de espectadores aos cinemas! Ao lado, uma foto de bastidor do *Xou*, para quem sempre se perguntou como era a parte detrás da nave. Depois dessa foto, sei que acabei com os sonhos de muitos baixinhos. (Desculpem!)

Acervo pessoal

Rainha dos baixinhos

E ME COLOCARAM UMA COROA.

Foi no dia 30 de junho de 1986. Estreava o *Xou da Xuxa* nas manhãs da Globo. A nave espacial, que acabou se tornando uma marca minha, apareceu já no primeiro dia. Lembro que queria um disco voador, pois gostava de um programa que só passava no Rio, na TV Tupi, o *Clube do Capitão AZA*. Ele chamava as crianças para cantar na nave dele. Então, queria uma para mim. Mas no meu caso ela foi inspirada na Penélope Charmosa. Pensei também no arco-íris na escada e naquele sol para dar um bom-dia.

Estive presente em cada decisão, em cada detalhe do cenário. Eu quis a boca desenhada no chão, pois sabia que iria dizer "Beijinho, beijinho, tchau, tchau" para as pessoas. Aquilo já estava na minha mente.

Como no *Clube da Criança* eu sofria por não ter quase nenhuma ajuda no palco, criamos as Paquitas. Elas eram as assistentes de palco e também passaram a me acompanhar nos shows. Nos tornamos família. Foram quatro gerações de Paquitas e o figurino mais famoso foi uma ideia minha: eu as queria meio soldadinhos, numa inspiração que tive em outro grande ídolo meu, o Michael Jackson.

As roupas eram copiadas por todo lado. As xuquinhas viraram marca. Quando eu era modelo, minha mãe levava uma bolsa de apetrechos e panos para eu acrescentar à roupa. E aquilo, de me enfeitar bastante, continuou. Tanto que uma criança olhou para mim uma vez e disse:

— Nossa! Você parece uma árvore de Natal!

— A árvore é a coisa mais bonita do Natal, não é? É mágica, não é?

— É! Você está linda!

Eu adorei ser uma árvore de Natal! Então, pendurava coisas, quis usar botas, no Rio, com um calor de quarenta graus. Aliás, eu vou voltar um pouco no tempo e contar do tamanho de minha paixão por botas. Um dos motivos do bullying eram as botas. Quando cheguei ao Rio, ficavam me perguntando:

— Como você usa botas neste calor?

E eu ia para a praia de biquíni e... de botas de caubói. E minha mãe sempre falava:

— Não é possível que você vá de bota à praia!

De tanto falarem, um dia, fizeram eu tirar a bota e pôr um chinelo. E eu caí com o chinelo! Me estabaquei no chão, me ralei toda. E fiquei brava:

— Se estivesse de botas, não teria caído!

Voltando ao *Xou*, logo no início notei que começaram a copiar, logo depois vieram os lançamentos de botas, sandalinhas, álbum de figurinhas, gibis, bonecas... e discos, discos e mais discos. Colocaram uma coroa em mim, passei a ser a "rainha dos baixinhos". Por um lado, um título que amo, por ser dos baixinhos, das crianças. Por outro, é uma responsabilidade enorme, porque o título de rainha é algo que beira uma perfeição que eu não tenho. Rainha não podia errar. E eu nunca gostei de decepcionar as pessoas.

A verdade é que eu não entendia direito o tamanho de tudo. Mesmo porque eu só trabalhava, e não parava. Minha vida era só trabalho.

Mas me lembro como se fosse hoje — e ao mesmo tempo parece tão distante — de ver as pessoas seguindo nosso ônibus, quando a gente terminava os shows em estádios lotados pelo Brasil. Como não podia atender todo mundo, eu fazia questão de ter alguma foto autografada, algum papel com a reprodução da marquinha (o meu beijo em batom) e distribuía como dava: muitas vezes, da janela do ônibus mesmo.

Meus filmes começaram a bater recordes de bilheteria... Em 1988, lancei o primeiro filme no papel de uma protagonista, o *Super Xuxa contra Baixo Astral*. Foi o filme brasileiro mais visto daquele ano. Lembro de ter ficado abobada quando vieram me contar que o público no primeiro final de semana de exibição havia sido de mais de 3 milhões de pessoas!

Lembro também com carinho quando, em 2009, ganhei o Kikito, prêmio do Festival de Cinema de Gramado, um dos mais importantes do país, por minha contribuição para o cinema nacional. Mais do que o prêmio, foi legal vencer um pouco a barreira que as pessoas têm comigo, desse preconceito. E já engoli tanto as pessoas falando bobagens...

Antes disso, em 1982, fiz um filme a pedido do Pelé, *Amor estranho amor*, do Walter Hugo Khouri. Apesar de ter Tarcísio Meira e Vera Fischer, odiei fazer. Foi uma experiência péssima. Cedi ao pedido do meu namorado da época e desde então aprendi a respeitar minha própria vontade. Tanto que, vira e mexe, ficam falando desse filme. E acho que as pessoas não devem nem ter visto, para inventar tanta bobagem. Depois disso, só fiz filme para crianças desde então, que era o que eu realmente amava fazer.

O Walter foi um cineasta premiadíssimo. E tem gente que, quando quer me atacar, fala desse longa como sendo um filme pornô. Nada a ver! Como a maioria das pessoas nem o viu, vou contar a sinopse: eu faço o papel de uma menina de quinze anos que foi comprada no interior do Sul para ser dada a um político, pois a personagem "continuava virgem" por ter o hímen complacente. É uma história fictícia sobre uma garota que acabou vendida para um prostíbulo, o que, aliás, é um problema muito atual... O número do tráfico de meninas e meninos para exploração sexual é enorme no nosso país. E é CRIME. É a realidade de milhares de crianças e jovens, mas não a minha.

Aquela era uma obra de ficção. E de onde veio tanto falatório? De uma cena recorrente nos filmes do Walter, na qual o filho se apaixona pela mãe (no caso, interpretada pela Vera Fischer[4]). E da cena comigo, claro. Nessa história, o filho vivia com a avó e depois de anos foi visitar a mãe, que era a preferida do prostíbulo. Ela o escondeu em seu quarto, para protegê-lo do assédio das outras moças, e minha personagem o achou e tentou seduzi-lo. Uma cena de um filme para adultos, entre um menino de treze anos e uma menina de quinze. Assistam ao filme. E não deixem que o mais importante dele se perca: que é necessário combater o crime de aliciamento sexual de menores para prostituição, não importa se o sujeito é poderoso, se tem dinheiro, se é conhecido... é CRIME. Proponho a todos que, ao falarem desse filme, coloquem ao fim: "Se vir ou vivenciar algo parecido, denuncie, disque 100". Esse debate, as denúncias, isso sim é necessário.

Voltando aos meus longas infantis, como o *Super Xuxa contra Baixo Astral*, eles sempre estiveram entre os de maior bilheteria, embora parecesse que as pessoas nunca queriam falar muito sobre isso. *Lua de Cristal* passou de 5 milhões de espectadores. E fazer isso naquela época era muito complicado. Não tinha de onde tirar grana. Ou a gente botava merchandising para pagar o custo ou não fazia. E, a exemplo das músicas, eu ouço até hoje as pessoas dizendo que meus filmes mudaram a vida delas. O mínimo que eu faço é agradecer. E nunca agradecerei o suficiente por tanto privilégio. Obrigada a você.

[4] Vera recebeu dois prêmios como melhor atriz pelo filme, do Festival de Brasília e do Prêmio Air France de Cinema. Xuxa também foi premiada como revelação mirim no Prêmio Air France de Cinema. (N. E.)

Solamente para bajitos

A Argentina é um caso sério na minha vida. Seriíssimo! Desde pequena, falava que eu queria ter nascido do "outro lado". Como já disse, Santa Rosa é quase fronteira com a Argentina.

Quando eu era muito pequena, tinha uns quatro ou cinco anos, ia fazer compra na Argentina com minha mãe. Era só atravessar o rio Uruguai e a gente chegava a Posadas. Eu falava para ela:

— Por que eu não nasci do outro lado?

— O que é isso, Xuxa? Você é brasileira, não pode ficar falando essas coisas.

— Mas eu queria falar que nem eles, queria ser argentina...

Ou seja, eu já sentia algo pelo "outro lado" e não queria dizer que eu não gostava do Brasil, esse era o jeito que conseguia me expressar... mais tarde, a Argentina entraria de vez em minha vida e eu me sentiria uma brasileira-argentina com muito orgulho.

Fui chamada para fazer um programa no México. Logo em seguida, veio o convite para fazer na Argentina. Pensei comigo que primeiro deveria fazer na Argentina, pois o México é bem mais longe, e, se funcionasse, eu iria fazer o programa mexicano.

E fui. Nunca pensei que seria daquele jeito. Eu me apaixonei pelos argentinos e eles se apaixonaram por mim. Aquela coisa de rivalidade entre Brasil e Argentina jamais foi sentida por mim. Foi uma paixão absoluta e avassaladora. Eles me aceitaram como sou, de uma maneira muito verdadeira.

E eu não queria mais sair de lá. Fiquei um ano e meio na Telefe, canal 11, depois fui para o canal 13 por mais um ano. Ou seja: dois anos e meio de muito amor e de muita demonstração de carinho, no geral, até maior do que no Brasil. É engraçado que os meus fãs argentinos ficam querendo provar para mim que fazem mais barulho do que os fãs brasileiros. Eles cantam "Ilariê" em jogos de futebol; quando eu chegava, tinha quase sessenta táxis cadastrados no aeroporto como táxis da Xuxa. Bastava eu sair do aeroporto que os fãs entravam neles e me seguiam até onde eu morava por lá.

São tantas histórias que pedi ajuda de duas fãs argentinas, Mariana e Silvia, para ilustrar um pouco disso tudo. A Mariana tornou-se fã aos dez anos. E conta:

> Até hoje, com quase quarenta anos, Xuxa continua presente em minha vida. Nos quase três anos em que ela estava fazendo o programa aqui, eu só pensava nos dias de filmagem e pedia à minha irmã mais velha que me levasse. Fui a um show dela em um grande estádio da Argentina, onde os maiores astros fazem suas apresentações. No dia em que o programa acabou na Argentina, minha mandíbula doía de tanto chorar. Eu era tão fã que meu presente de quinze anos não foi uma festa, e sim minha primeira viagem ao Brasil, de ônibus. Viagem que durou 38 horas para, obviamente, vê-la no Teatro Fênix. Voltei muitas outras vezes: de ônibus, avião, pegando carona... nada me parava! Sinto saudade do tempo em que eu e Silvia a esperávamos até na porta do dentista! Conhecemos o Rio, Porto Alegre, São Paulo... tudo atrás dos shows dela. Uma terra linda. E sempre que ela volta para a nossa terra é recebida da mesma maneira, com caravana de carros, pessoas nas janelas com fotos e bandeiras, pessoas se pendurando nos

prédios somente para acenar para ela. Os anos se passaram, muitos de nós somos mães e pais, mas nada mudou. Quando ela chega aqui, ainda somos seus baixinhos.

A Silvia, que acompanhou Mariana em muitas aventuras, lembra de uma em especial:

> Ela é pura magia. Em 1991, fui para os estúdios da Telefe, onde estava gravando, para vê-la pessoalmente. Havia uma multidão e eu, que não sou alta, acabei ficando na frente dela, que me olhou com aqueles olhos azuis e me disse para tomar cuidado! Tentando me proteger dos empurrões, ela roubou meu coração para sempre. Em 1992, fui com dois amigos ao Brasil só para vê-la. Ela estava gravando um álbum em um estúdio e fomos até a porta. Não só deixaram a gente entrar como a vimos cantar, comemos frutas com ela, que ainda autografou nossas fotos. Ao sair de lá, perguntou onde estávamos hospedados e demos nosso endereço, um apartamento em Copacabana. Ainda pediu que a gente tomasse cuidado, pois o Rio era perigoso. A gente saiu de lá tão nas nuvens que ficamos andando durante a noite e fomos assaltados. Passamos uma noite de terror, mas no dia seguinte, inesperadamente, o Bladimir, irmão da Xuxa, bateu em nossa porta. A pedido dela, ele foi nos buscar para encontrar com a Xuxa na casa dela! A gente nem conseguia falar nada! Foi surreal.

Olha quanta coisa! E isso é só um pedacinho do tanto que elas têm de histórias. Sobre os locais nos quais morei por lá, no começo foi um hotel. Depois, fui para um apartamento. De lá, fui convidada a me retirar: os fãs acampavam na frente do prédio, escreveram meu nome na rua, ficavam cantando e gritando, não deixavam ninguém dormir... Então, tive que ir para uma casa. E eles armaram um acampamento na frente. Com barracas e tudo. Se eu ficasse quatro dias por lá, eles ficavam quatro dias na frente da casa.

Todas as vezes que retornei, o carinho nunca mudou. Fiquei nove anos sem me apresentar na TV por lá. Quando apareci, parecia que não tinha se passado um dia. Depois acabou se passando mais três anos e eu voltei para lá, e o amor era o mesmo.

Dessa vez, aconteceu algo muito forte e que me deixou abalada demais: um fã dos mais carinhosos, Hernan, publicou numa rede social que ia "morrer do coração", pois iria me ver de novo na Argentina. Cheguei ao aeroporto e ele morreu na minha frente. Teve uma parada cardíaca. Gostaria muito que ele estivesse vivo e bem para ler este livro. Como a gente não pode trazer ninguém de volta, eu registro aqui, nessas linhas, a todos os meus fãs — argentinos, brasileiros, americanos, chilenos, de qualquer parte do mundo — que eu sou uma mulher de sorte por ter tanto amor. Vocês são muito importantes para mim.

Adendo Argentina

SOU TÃO AMADA por lá que, muitas vezes, fico com medo de decepcionar. Uma vez, durante uma entrevista coletiva no país, eu ouvi uma frase que nunca mais saiu da minha cabeça. Lembro do rosto do repórter, da voz do repórter, que se levantou e afirmou:

— Se você não tivesse feito foto pelada, você seria uma santa.

Nossa! Aquilo me bateu tão mal. Mas tão mal! Eu não sou santa. Estou LONGE disso. Apesar de ser ariana e não gostar de errar, eu sou um ser humano, portanto cheia de erros, equívocos.

Ouvir aquilo foi ter colocado um dos maiores pesos que já carreguei nas costas. E quanto maior o pedestal em que você se deixa colocar, maior o tombo. Por isso mesmo, eu digo: não estou em pedestal nenhum. E, não, não sou, nunca fui, nunca serei e não quero ser perfeita.

Ganhei um mundo

Depois do sucesso na Argentina, me chamaram para fazer um programa para o Telecinco, na Espanha. Gravei primeiro em Barcelona e depois em Madri. O programa, que passava todos os domingos, chamava-se *Xuxa Park*. Sabe o Topo Gigio? Aquele ratinho que era sensação no mundo? Ele também participava do programa.

No começo, achei que por falar espanhol, bagagem de meus programas na Argentina, seria mais fácil... doce ilusão! Foi muito difícil. A língua na Espanha é muito diferente daquela falada na Argentina.

Pense no que eu fazia, ao mesmo tempo: um programa diário no Brasil, um programa diário na Argentina e um programa semanal na Espanha. E, como se fosse pouca coisa, ainda fui convidada para fazer um programa nos Estados Unidos, que se chamaria *Xuxa*, produzido pela MTM e exibido pelo Family Channel.

Um dos donos da MTM, Pat, era um padre. Ele chegou à reunião, com outras figuras importantes do canal, dizendo que queria fazer esse programa comigo. Algumas crianças — filhos de um dos diretores do canal — estavam lá. Eu me abaixei para falar com elas primeiro e só depois fui cumprimentar os adultos da sala. Eu me sentei e já fui jogando a real, que passava pela minha cabeça, com um inglês ruim:

— Vocês têm certeza de que querem colocar uma brasileira com um inglês que não é dos melhores para fazer um programa infantil aqui?

— Sim, inglês você pode aprender, Xuxa — disse o padre.

— Mas vocês sabem que eu fiz fotos sem roupa, em três revistas masculinas? E que fiz um filme adulto, no qual também apareço sem roupa? Vocês estão sabendo disso tudo?

O padre olhou para mim e falou:

— Nós já sabemos do seu passado. Mas, hoje, quando você entrou, você falou primeiro com as crianças. Então eu vejo o seu presente. E a gente pretende ter você, futuramente, no canal. Você aceita?

Eu nunca me esqueci dessa frase. Achei incrível. Pedi para gravar um piloto, que é um programa teste, que não vai ao ar, para ver como me sentiria. Resultado: fiz 64 programas; estreamos em 1993 e eles exibiram esses programas durantes dois anos e meio no canal, com músicas em inglês, duzentas crianças no palco e convidados famosos. Para quem entrou sem saber inglês direito, acho que consegui dar conta.

Um ídolo e uma proposta

Eu fazia meu programa na Espanha quando soube que Michael Jackson faria um show por lá. Nos bastidores desse show, aconteceu meu primeiro encontro com aquele que foi meu ídolo na juventude. Eu ficava pensando: "O que eu vou falar?". Para eu dizer que amo uma pessoa, demora muito... Aí, eu disse:

— *Michael, I really love you*. (Michael, eu te amo de verdade.)

Ele respondeu:

— *Oh, Xuxa, I love you too*. (Oh, Xuxa, eu te amo também.)

E eu repetia para ele que eu o amava "de verdade", tentando me fazer entender que não era da boca para fora.

Depois, fui chamada para visitá-lo em Neverland, o famoso rancho no qual ele morava. Eu estava na sala, ele entrou falando meu nome e colocando a mão no coração. Então, veio até mim e me deu um beijo na mão. Comi uma salada no jantar ("Sei que você não come carne", ele me disse) e depois entramos em um carrinho, para que eu conhecesse todo o local, todos os bichos.

Em seguida, a gente foi num lugar que parecia um cinema, que tinha catraca para entrar. Ele pulou a catraca, pegou as pipocas e falou:

— A sua pipoca é sem sal.

Ele sabia coisas sobre mim! Nos despedimos e, na hora de sair de lá, o empresário dele veio atrás de mim:

— Quero te fazer uma proposta. A gente está procurando uma mãe para os filhos do Michael. Posso mandar o contrato para você estudar?

Só lembro de ter dito não, chocada com a situação, e de ter saído de lá sem entender muita coisa.

Não bata, eduque

Eu convivia todos os dias com crianças. Fazer os programas infantis fez com que a minha conexão com elas fosse se ampliando, se tornando mais e mais especial e importante. Comecei a me afetar, cada vez mais diretamente, toda vez que via alguma delas sofrer. E ainda sou assim. Tenho que tentar entender que sou só um ser humano, que não tenho superpoderes e que não posso salvar todas as crianças do mundo. É difícil para mim...

Então, em toda a minha carreira, sempre tentei mostrar para as pessoas que violência só gera violência e que bater em uma criança não é aceitável. Durante toda a minha luta contra isso, li e ouvi barbaridades: "Eu bato porque amo meu filho"; "Eu apanhei dos meus pais e estou vivo"; "Quero ver alguém me prender. O filho é meu e faço o que quiser". E a pior delas: "A Bíblia diz que posso usar a vara para corrigir".

Deus, tenha piedade de nós! Para o Velho Testamento, mulheres e negros não tinham alma e você poderia dar seu filho aos leões, caso ele te desobedecesse. Muita gente repete isso por não se informar, apenas reproduz. Provavelmente, deve ser para não sentir culpa por ter batido ou por ainda bater em seu filho.

Mas reflita sobre o tema. Antes, era permitido ao marido bater na esposa. Comprar um ser humano, só por ser negro, também era aceito. E, se cometesse um erro, ia para o tronco. Na escola, em nome da educação, a professora agredia os alunos com régua e palmatória. Ela podia até "presentear" o estudante, na frente da sala, com um chapéu escrito "burro". Essa era a nossa cultura. Mas as coisas mudam. Hoje, todos os exemplos que citei são considerados desumanos. Mas tem quem ainda diga, "em nome de Deus, da educação e do amor, surre seus filhos" e tenha a coragem de afirmar: "Essa é a única maneira de educar".

Ao errarmos, damos o direito de alguém mais forte nos agredir? Será mesmo tão difícil educar sem bater? No Brasil, mais de 11 mil crianças e adolescentes são assassinados, por ano, segundo a Unicef.[5] Mudar costumes e pensamentos não é uma tarefa fácil, mas podemos e devemos.

[5] Disponível em: <https://www.unicef.org/brazil/homicidios-de-criancas-e-adolescentes>. Acesso em: 24/7/2020.

Irmã Dulce

Um dos privilégios que meu trabalho me trouxe foi justamente poder conhecer pessoas das quais nem imaginaria estar ao lado. Uma delas foi a Irmã Dulce.

Fui à Bahia, em 1989, para visitar obras sociais e crianças que ela ajudava. Lembro que cheguei lá com gente pendurada nos postes para me ver. E eu toda preocupada com ela. Não queria me atrasar nem aborrecê-la.

Cheguei perto dela, emocionada, e ela me olhou tão profundamente nos olhos, com a coluna curvada, foi um momento em que nenhuma palavra foi necessária. Ela era uma pessoa muito iluminada e muito sensível.

A gente foi andando, devagar, para a ala das crianças doentes. Entramos em um quarto e eu fui beijar um dos meninos, que estava todo queimado, com uma aparência que poderia ser impactante para algumas pessoas. Ela observou aquilo sem dizer nada. O menino ainda disse que nunca mais iria lavar a marquinha, e ela riu.

Ao sair da primeira ala, ela me olhou, pegou na minha mão e sorriu. Senti que ela me agradecia com os olhos. Não agradecia exatamente a Xuxa, a figura pública que estava lá. Mas agradecia a Xuxa, que foi dar um beijo na criança mais machucada da sala.

Foi aí, como ela sentiu que eu não tinha problema em ver crianças naquele estado, que Irmã Dulce me levou para ver mais crianças doentes. Muitas delas ainda em pior situação que aquele menino queimado. E fomos passando por todas elas. Levando um pouco de amor e de alegria.

E foi ao sair de lá que eu a agradeci de todo o meu coração pela vivência daquela tarde e me coloquei à disposição para ajudar no que pudesse. E nunca me esqueci do que ela me falou:

— Vai com Deus, minha filha. Essas crianças jamais esquecerão o que viveram hoje.

Marquinha

Existem inúmeras histórias que poderia contar aqui. Mas me lembro de uma que é engraçada e ao mesmo tempo mostra um pouco do que eu vivi na época do *Xou*. Eu chegava a casas no Brasil todo, a marquinha (da boca com o batom) virou febre. Estava presente na TV, em discos, revistinhas...

Lembro que fui gravar um clipe num lugar lindo, uma praia longe de tudo e de todos. Como o local era bem afastado, resolvemos não montar uma grande estrutura. Era eu, uma equipe enxuta para gravar as cenas e a direção. Mas, com o boca a boca, brotaram 2 mil pessoas de todos os lados. Me lembro de que tinha apenas um segurança.

Em vinte minutos, a multidão começou a ficar maior e maior. E já não era possível sair sem que alguém se machucasse.

Enquanto pensavam em como me tirar dali, me colocaram numa casa de pescador abandonada. Foi então que uma pessoa começou a pedir pela janela fechada com aquele sotaque lindo nordestino:

— Xuxa, me dê uma marquinha?

Ela repetia isso sem parar, sem colocar vírgula, sem respirar. Era algo assim:

— Xuxamedêumamarquinha?Xuxamedêumamarquinha?Xuxamedêumamarquinha?Xuxamedêumamarquinha?Xuxamedêumamarquinha?Xuxamedêumamarquinha?Xuxamedêumamarquinha?

Comecei a autografar papéis, agendas e discos das pessoas, que o segurança pegava e levava até mim, além de distribuir cartões autografados. Juro que não dava para sair da casa, começaram a ter medo de que as crianças fossem pisoteadas pelos adultos.

E a voz não parava: "Me dê uma marquinha?!". Solicitei a câmera dessa pessoa e tirei fotos dando beijinhos de todas as maneiras. Mesmo sem ela ter papel, perguntei seu nome e autografei uma folha com a "marquinha" de batom, bem caprichada.

Ainda assim, lá estava eu dentro da casinha abandonada e a voz continuava:

— Xuxamedêumamarquinha?Xuxamedêumamarquinha?Xuxa medêumamarquinha?Xuxamedêumamarquinha?Xuxamedêuma marquinha?Xuxamedêumamarquinha?Xuxamedêumamarquinha?

Mesmo com a máquina cheia de imagens, com o cartão e o autógrafo personalizado, a voz não parava. Após mais de uma hora ouvindo aquela frase da mesma pessoa, pedi para o segurança deixá-la entrar na casa. Porém, ele disse que não seria certo, pois todos iriam querer o mesmo e poderiam quebrar tudo.

Nesse meio-tempo, chegou reforço policial para me ajudar a sair. Com mais pessoas garantindo a ordem, fui dando atenção a todos, como podia, tocando nelas, fotografando...

E, não sei como essa pessoa conseguiu, mas, atrás de mim, seguia ouvindo:

— Xuxamedêumamarquinha?Xuxamedêumamarquinha?Xuxa medêumamarquinha?Xuxamedêumamarquinha?Xuxamedêuma marquinha?Xuxamedêumamarquinha?Xuxamedêumamarquinha?

Finalmente, consegui me virar, pedi para que os policiais e o segurança deixassem a pessoa chegar perto. E lá fui eu dar um beijo na pessoa.

No meio do empurra-empurra, ela disse:

— Mas você está sem batom! Coloque batom para me dar uma marquinha!

Fiquei tão atônita com aquilo, que surtei. Surtei mesmo! E respondi:

— O quê? Não dou! Não vou dar mais marquinha!

Em seguida, para ir embora, entrei no carro trêmula e aquela frase não saía da minha cabeça. Foi a primeira vez — e uma das únicas — que saí do sério daquele jeito. Acreditem, cheguei a sonhar com tudo isso e, por muitos dias, aquela história me acompanhou no consciente, inconsciente e subconsciente. Agora, ainda bem, virou algo engraçado para contar.

Beco

Durante toda a minha vida, um fato um tanto inusitado acontece: eu penso — ou digo — que queria conhecer alguém e essa pessoa aparece, me procurando.

Pois bem, certo dia, vi uma capa de uma revista com Ayrton Senna. Tinha uma foto dele com uma vaquinha, a abraçando. E eu achei o máximo.

— Olha só, gosta de bicho, é bonito, bem que a gente podia se conhecer — eu disse. Mas, ao olhar nas outras páginas, aparecia uma mulher e achei que era a namorada dele. Deixei para lá.

Uma semana depois, Marlene Mattos, a diretora do programa, estava comigo no camarim e atendeu ao telefone, que tinha lá:

— Você não queria falar com ele? Está aqui, te procurando.

— Ele quem?

— O Ayrton.

Eu peguei o telefone nas mãos, coloquei no ouvido meio receosa:

— Alô?

— É a mulher mais linda do Brasil?

Fiquei um tempo muda, achando aquilo meio bobo:

— Alô — repeti.

Foi quando ele me explicou que havia ligado para alguns diretores que conhecia na Globo, até chegar ao meu telefone. Mesmo depois daquela cantada ruim, eu achei a história fofa. E ele continuou:

— Posso te ver esse final de semana?

— Tenho show em Minas.

— Posso mandar meu aviãozinho te buscar.

— Prefiro voltar no voo normal mesmo, eu enjoo com avião pequeno — tentei despistar.

— Mas eu tenho um avião maior, posso mandar?

— Não vai dar certo, costumo andar com minha equipe, as passagens já estão compradas — tentei despistar de novo.

Para falar bem a verdade, eu não estava gostando daquele papo de "mandar avião", de "avião maior". Estava começando errado, sabe? Eu não estou nem aí para quem tem ou não tem avião. Foi um tanto decepcionante.

— Mas você pode vir com a equipe, cabem sete pessoas.

— Vou pensar, nos falamos.

Claro que não pensei e não nos falamos. Mas ele mandou o tal avião mesmo assim. Quando saí do show, o piloto estava à espera. Entrei no tal avião e tinha uma foto dele, na qual escreveu:

"Broto, não fica tão bonita, que eu não me responsabilizo."

"Broto"? "Não fica bonita"??? Oi? Lembro de ter achado aquilo tão cafona. Queria sair do avião, lembro de pensar, de novo, que estava começando tudo errado.

Cheguei em casa, não demorou meia hora e ele me ligou:

— Já chegou, tomou banho, já posso ir te ver?

— Já cheguei, já tomei banho, mas estou cansada e de roupa de dormir.

— Mas eu chego aí rapidinho, dez minutos, prometo.

Ele estava em um hotel cujo trajeto seria de cerca de trinta minutos até minha casa. Então, lá fui eu tirar o pijama e colocar outra roupa, quando já ouço um carro chegando.

Em menos de dez minutos. Corri feito doida para me trocar e fui atender à porta com meu cachorro-filho Zezinho ao meu lado.

A cena que vou descrever parece meio maluca, mas eu juro que foi bonita: eu e ele colocamos as mãos para cima, espalmadas, uma grudada na outra, fazendo uma conexão. Ele me olhava no fundo dos olhos. Eu olhava no fundo dos olhos dele. Lembro de pensar que ele tinha um cheiro bom.

Nos sentamos no chão e avisei a ele:

— Só não chega perto do Zezinho que ele tem muito ciúme e morde.

Passamos horas conversando, contamos da vida, como ele tinha visto Deus, falou da família, da religião. E começou a fazer carinho no Zezinho... e ele deixou, sem morder!

— Então, já está tarde. Volto amanhã e a gente continua a conversa.

— Não vai dar, minha avó estará aqui amanhã.

— Tudo bem, aproveito e conheço ela.

Não nos beijamos. E Zezinho foi até a porta atrás dele.

— Ei, Zezinho, como assim?

— Ele sabe o que é melhor para a dona dele.

No outro dia, lá estava ele, em casa. Antes de me cumprimentar, falou com todos os meus bichos primeiro (e olha que eram muuuuuitos), o que me deixou muito mexida, pois ele entendia a importância deles para mim e, assim como eu, também tinha essa ligação com os animais. Apresentei a minha vó e continuamos a conversar. E não nos beijamos.

No terceiro dia, mais conversa. E fui levá-lo para o hotel em que estava quando, antes de descer do carro, me deu uma Bíblia.

— Sinto que já te amo.

E desceu do carro. Não acreditei muito, não aceitei muito. Ele tinha tudo: cheiro bom, não bebia ou fumava, gostava de bichos... estava muito desconfiada.

O beijo foi rolar só no quinto dia. E eu gostei.

Mas ele tinha que voltar para São Paulo. E passamos mais de uma semana falando por telefone, trocando fax com desenhos e histórias durante toda a madrugada. Tipo dois adolescentes apaixonados.

Estava perto do Natal e ele sugeriu de vir passar comigo. Eu disse que Natal é data familiar e que ele deveria passar com a família dele. Na noite do Natal, ele disse que estava em casa, só com os cachorros, esperando para me ligar.

— Então, vamos combinar o seguinte: passamos o Ano-Novo juntos.

E foi aí a nossa primeira vez. No primeiro dia do ano de 1989. Um Ano-Novo que durou dois dias, sem sairmos do quarto. A Maria, que trabalha comigo há anos, só abria uma fresta da porta, botava umas frutas lá no chão, e fechava de novo.

E, assim, começamos a namorar. E ele se tornou, para mim, o Beco.[6] A cumplicidade entre nós dois era tamanha que eu sabia que ele estava chegando pelo cheiro e vice-versa. E não falo de perfume, nem nada. Era o cheiro da pele mesmo.

Uma vez, eu cheguei de surpresa para surpreendê-lo, de costas, e ele:

— Xu, você tá aqui?

Pelo cheiro.

Se eu pensava muito nele, por exemplo, ele sentia e me procurava. Uma vez, apostei com uma figurinista que se eu pensasse nele, ele ligaria.

— Ah, duvido! Então faz isso. E já atende o telefone falando o nome dele, se tocar.

O telefone tocou. E eu:

— Beco!

[6] Apelido de família de Ayrton.

— Está tudo bem? Não estou conseguindo trabalhar, por que está pensando tanto em mim?

E eu contei para ele e a figurinista ficou chocada.

A coisa era tão séria que eu acordava de madrugada e não conseguia mais dormir, caso ele estivesse em algum país com fuso horário diferente e estivesse pensando em mim.

Ele já tinha aquele celular de tijolo e, numa dessas madrugadas, eu liguei para ele, que disse:

— Estou vendo o pôr do sol e pensando em você...

— Que lindo, Beco, mas não faz isso agora que eu preciso dormir.

Sentia que era uma conexão de outras vidas. Ao mesmo tempo que sentia que o trabalho nos separaria por um tempo. Mas não pela vida toda.

Gravava o tempo todo, tinha programas fora do Brasil, discos para fazer, shows. E ele tinha a rotina dele, tão doida quanto a minha. A cada semana um país diferente, reuniões, treinos. E percebemos que a gente não conseguiria, naquele momento, sermos presentes um na vida do outro. E combinamos que iríamos trabalhar muito, focar nisso, até que, no futuro, a gente pudesse ter uma vida um pouco mais calma. E nos dar a chance que a gente merecia.

Logo que nos conhecemos, ele me deu um balão inflável com os dizeres: "*If you love someone, set them free. If they come back they're yours; if they don't they never were*".[7] Até por isso, tinha na minha cabeça que a gente iria voltar. Por Deus, pelo destino, isso nunca aconteceu. Então, aprendi uma coisa e quero dividir aqui, com você que está lendo: faça o seu tempo. Se você quer, vá atrás. O futuro é hoje.

A última vez que falei com ele foi no dia 20 de março de 1993, seu aniversário seria um dia depois e liguei para dar os parabéns.

[7] Se você ama alguém, deixe-o livre. Se voltar, é seu. Se não voltar, nunca foi.

Antes disso, a gente havia passado o Ano-Novo juntos, como fazíamos todos os anos. No telefonema do dia 20 de março, eu estava em Los Angeles e ele no Brasil. Quando cheguei ao Brasil, vi uma foto dele com sua namorada e senti que ele estava com um olhar apaixonado. Pensei: "Acho que ele está gostando mesmo dela". Fiquei um ano sem falar com ele.

Em abril de 1994, eu falei para a Marlene:

— Preciso de uma semana de férias.

— Mas agora?

— Sim, eu preciso me encontrar com o Beco e falar tudo o que sinto. Eu preciso colocar tudo isso para fora. Talvez não vá acontecer nada, ele pode me dizer que não gosta mais de mim, que está de casamento marcado, o que for. Mas eu preciso colocar isso para fora.

— Tudo bem, você termina de gravar as músicas e vai.

Além disso, havia o fato de que eu tinha algumas premonições em relação a ele. Eu cheguei a acertar quando ele venceria corridas, quando iria ter problemas. Ele sempre me ligava para saber qual era a minha sensação. E eu sentia que ele ia se machucar naquela corrida... mas nunca pensei que ele fosse morrer. Mas que ele iria se machucar e que eu poderia visitá-lo na segunda-feira, quando chegasse lá. Então, o combinado era de que eu terminasse de gravar no sábado e viajasse no domingo para Ímola, na Itália, onde ele estaria depois da corrida.

Lembro de que estava no estúdio da Som Livre, colocando a voz nas músicas do disco que eu lançaria naquele ano. No estúdio estavam a dupla de compositores Michael Sullivan e Paulo Massadas, que eu chamo carinhosamente de tio Porquinho e tio Formiguinha, respectivamente, e a Marlene. Eles estavam lendo — e comentando — uma entrevista do Beco na qual ele dizia que muitas vezes você encontra o amor da sua vida, mas não fica com a pessoa.

Eu estava no aquário do estúdio, atrás do vidro, mas dava para ouvir pelo retorno deles.

— Xuxa, acho que ele está dando um recado para você — disse o tio Porquinho.

— Ela já me pediu uma semana de folga. Vai atrás dele. Já falei para ela que, se quiserem casar, vai ter que ser no Maracanã, cheio de gente... — disse Marlene.

— Não estou falando de casamento, só preciso falar para ele o que eu sinto — disse, no microfone do estúdio.

O aniversário da Marlene havia sido no meio da semana. Alguns de seus amigos ainda estavam em sua casa, pois tinham comprado bastante comida. Saímos do estúdio e ela falou para que eu ficasse na casa dela aquela noite, para, no dia seguinte, ir para o aeroporto e seguir viagem.

Chegando ao sítio dela, tinha uma fogueira. Me sentei em frente e fiquei olhando para o fogo, sentindo uma angústia, algo estranho. Pareciam minutos, mas alguém veio até mim e me chamou, meio que me tirando de um transe, e disse que eu já estava lá havia muito tempo. Fui dormir tarde e, como o avião partiria no domingo à noite, eu ainda estava na cama quando vieram no meu quarto, gritando:

— Corre, corre! Senna sofreu um acidente.

Cheguei à sala, todos os amigos dela mudos, olhando para a TV. Cheguei e tive a nítida sensação de tê-lo visto na porta. E falei:

— Ele já foi embora.

— Não, Xuxa, ele ainda está lá. Como você pode saber?

— Ele já foi embora...

E fiquei anestesiada. Eu não chorava, não fazia nada. Fui chorar mesmo depois de semanas. Soube, depois, que um dia antes havia sido aniversário do Josef Leberer, fisioterapeuta e um dos melhores amigos dele. Eles celebraram em um jantar e alguns dos convidados vieram me dizer que ele havia falado muito de mim naquela noite.

Por isso, minha relação com o Beco acabou tornando-se um grande "se" na minha vida. E se a gente tivesse continuado? E se eu tivesse tido a oportunidade de falar tudo para ele? E se a gente nunca tivesse terminado? Nunca vou saber.

Dura realidade

Alguns anos atrás, reencontrei uma menina, que vou chamar aqui de Raquel. Quando a conheci, em 1989, ela morava na rua. E queria ir ao *Xou da Xuxa* com uma amiga, que vou chamar de Jane. Elas tinham treze anos e haviam fugido de casa. Elas conseguiram ir ao *Xou*. Naquela época, ninguém conseguia segurá-las: invadiam o programa e apareciam na minha frente.

Um dia, surgiram na porta de casa. Entraram, tomaram banho, comeram... Era nítido que bebiam, fumavam, além de usar outras drogas mais pesadas.

Fui conversando com elas e tentando entender um pouco daquela dura realidade. Elas me disseram que apanhavam muito em casa. Uma delas sofria com abusos sexuais por parte do padrasto, que a estuprava. E, por esses motivos, preferiam as ruas... Para sobreviver nas ruas, tinham que vender o corpo. Duas adolescentes, trocando sexo por um pouco de dinheiro, para conseguir comprar um pedaço de pão. Eram adolescentes que ainda tinham seu sonho de criança: assistir ao *Xou*, me ver de perto. Como tantas crianças do Brasil.

Mas a realidade delas era a rua, as drogas e a prostituição. Eu tentava dar conselhos, tentava ajudar como podia. Tentei arrumar um trabalho, um tratamento, mas a gente nunca vai entender quão dura é a realidade dessas pessoas. E nada do que eu fizesse adiantava. Me sentia impotente. Elas não queriam meus conselhos, queriam apenas meu carinho.

Jane não tinha nem quinze anos quando propôs um desafio: qual das duas engravidaria primeiro. Como tentei falar sobre esse assunto, sobre a chegada de uma criança inocente, que nada tem a ver com isso... Mas elas se drogavam tanto! Logo depois, engravidaram, tiveram os filhos e colocaram os bebês para adoção. E nada do que eu dizia surtia efeito. Queria vê-las longe das drogas, trabalhando... Depois, engravidaram mais vezes e sumiram.

Só fui ter notícias das duas há cerca de três anos. Raquel me procurou, me contou que Jane morreu, nas ruas, possivelmente de overdose.

Raquel chegou a frequentar uma clínica de reabilitação, através de uma pessoa que se tornou amiga dela. Mas acabou não aproveitando a chance, quebrou a casa dessa pessoa e voltou para as ruas, pois não conseguia ficar longe das drogas.

Hoje, ela me garantiu estar limpa. Mora na Rocinha e eu fico feliz por vê-la livre do que destruiu sua vida. Sabe-se lá quantos filhos dados ou perdidos, quanta dor e violência essa criatura viveu na vida! Como eu queria voltar no tempo para obrigar aquelas meninas a me ouvirem... Mas isso é impossível. E a gente não pode julgar ninguém. Talvez elas tenham aparecido na minha vida para mostrar justamente isso: as drogas podem aliviar momentaneamente a dor de quem não tem quase nada (como elas sempre me diziam), mas, quando a realidade volta, tudo está muito pior. E o pouco que se tinha foi destruído.

O último *Xou*

O *Xou da Xuxa* foi ao ar entre 1986 e 1992. Foram 2 mil programas. Nos bastidores, diziam que o formato de programa de auditório para crianças estava se esgotando. Ele tinha sido copiado em diversas emissoras e até fora do país. Acredito que deve ter sido uma decisão da casa com a Marlene. Mas não chegaram a mim, nem perguntaram o que eu achava. Só disseram que iria acabar.

O fato é que, durante o ano de 1992, fui tentando preparar as pessoas, dizia que seria o último ano do *Xou*, até que bati o martelo com a Globo: faria um programa semanal, aos domingos — que seria mais voltado para a família e seria batizado apenas como *Xuxa*. Jamais me esquecerei de quando chegou a hora de dizer às pessoas que o *Xou* iria mesmo acabar. Elas choravam. Aqueles rostos, gritos e lágrimas não saíam da minha cabeça. Por muitos dias e noites, eu fechava os olhos e via e ouvia aquelas pessoas chorando, dizendo para não acabar, para não parar com o *Xou*.

O último *Xou da Xuxa* foi ao ar em 31 de dezembro de 1992. Um monte de convidados, todas as Paquitas e um reencontro surpresa (como boa ariana, não gosto muito de surpresas) com meu pai, com quem eu não falava havia um tempo. Cheguei a olhar para o lado, pois pensava em sair do palco naquela hora. Mas aguentei e fiquei... Claro que chorei. O que mais lembro dessa gravação toda é do nó na garganta, o tempo todo, e de não conseguir segurar a emoção e desabar. O fim do *Xou* foi como perder alguém amado. Era o fim de uma era. Para a TV e para mim.

Claro que fiz muitas coisas marcantes e das quais tenho muito orgulho. Depois de alguns meses com o programa dominical, voltei às brincadeiras, músicas, desenhos no *Xuxa Park*. Dessa vez, nas manhãs dos sábados. Ele foi de 1994 até o começo de 2001.

Meio que ao mesmo tempo, entre 1997 e 2002, fiz também o *Planeta Xuxa*, mais voltado para os adolescentes. Assim como o *Xou*, é um dos programas mais lembrados pelos fãs. Era como se fosse uma grande balada, uma discoteca, com atrações musicais, quadros e entrevistas. Foi no *Planeta* que criamos o quadro Intimidade, com entrevistas que hoje, se assisto a algum trecho, fico espantada com algumas das coisas que se diziam! Tem o Clodovil falando de cocô; tem eu passando a mão na Claudia Jimenez; tem o Renato Gaúcho abaixando as calças... É o que eu sempre falo, os tempos eram outros. Hoje, muita coisa do que se fazia na TV seria impossível.

Gratidão especial

Queria deixar aqui registrado o valor que eu sempre darei a todas e a todos os assistentes de palco que estiveram ao meu lado. Pessoas especiais que tiveram o sonho de trabalhar perto de mim, de viajar, de fazer parte do meu mundo.

Vejo as Paquitas, que hoje se tornaram mulheres fortes, lindas, muitas delas mães. E, uma vez Paquita, sempre Paquita. Tanto que nosso grupo de conversa no WhatsApp se chama "Paquitas para sempre". Lembro que quando a gente começou a escolher as meninas, eu queria as mais iluminadas, as mais lindas. Tinha gente que chegava e falava: "Escolhe as mais ou menos, assim ninguém vai 'brigar' na beleza com você". Olha que coisa horrorosa! E eu escolhia as mais lindas, por dentro e por fora. Elas tinham muito a oferecer, elas amavam aquele trabalho.

E posso dizer o mesmo de todas as gerações de Paquitas, dos Paquitos, do Praga, do Dengue, do You Can Dance, dos Papaquitos, da Bombom, das gêmeas, das Garotas do Zodíaco... foram dezenas de pessoas que estiveram ao meu lado, em todo o trajeto, com histórias bonitas para contar. Acho que, como em todo trabalho, havia momentos difíceis. Mas o saldo é muito mais positivo e eu agradeço a todas e a todos vocês.

Sassá, amor maior

Quando eu tinha 26 anos, Caetano Veloso foi ao meu programa e eu falei:

— Caetano, quando eu estiver grávida, você canta "O Leãozinho" para a minha filha? Ela vai ser do signo de Leão.

— Mas você está grávida?

— Não, isso é para quando eu estiver grávida.

Pois é, eu sempre soube. E Sasha chegou quase dez anos depois, quando eu tinha 35, e é do signo de Leão.

Eu e o Luciano Szafir estávamos namorando. A gente só transava de camisinha, pois ele dizia que gravidez, só depois do casamento. E eu nunca gostei daquele astral do papel. Não queria me casar. Não queria mesmo. Mas queria ter um filho.

Portanto, fui para Pasadena, na Califórnia, me consultar com um especialista em fertilização in vitro. Até pensei em procurar no Brasil, mas achei que poderia rolar aquelas especulações à toa, por isso fui aos Estados Unidos. Fui até a clínica, para a consulta, e fiquei de aguardar um retorno de lá quando já estivesse tudo certo com o esperma de um doador anônimo, para que a gente fizesse o procedimento.

Ainda naquela clínica, antes de voltar para o Brasil, conheci esse médico que me contou algumas coisas interessantíssimas. Veja bem, não estou dando ideias para ninguém, vou colocar aqui o que ele me disse há mais de vinte anos e que foram traduzidas por mim — detalhe: não falo esse inglês todo não, ou seja, pode ter algum equívoco? Sim, pode!

Como eu contei para o médico que tinha um namorado, ele disse que a gente deveria fazer exames, para ver se eu era fértil. Deu tudo certo, exames o.k., poderia ser mãe, de uma maneira natural ou não.

Ele me perguntou se eu queria menina ou menino.

— Mas pode escolher? — eu perguntei.

Ele explicou que, na inseminação artificial, pode existir a separação dos espermatozoides para a produção de homens (cromossomo Y) ou mulheres (cromossomo X). Gostei da ideia, já que queria uma menina para chamar de Sasha. Foi então que ele me disse que se eu quisesse tentar por vias normais com meu parceiro, também poderia utilizar uma técnica na qual eu teria muito mais chances de ter uma menina. Oi? Como assim?

Bom, primeiro, segundo ele me disse, você tem que saber quando está ovulando — existe um teste, tipo o de gravidez, no qual se faz xixi numa espécie de "caneta". Então você menstrua, conta dez dias e começa a fazer xixi nessa canetinha e ela vai te dizer se você vai ovular em 24 horas. Na minha, tinha uma caretinha que avisava.

Depois disso, ainda conforme o médico, como eu queria menina, na hora da relação, o parceiro teria que dispensar o primeiro gozo. Não pode ser dentro. Já a segunda vez, sim. Se você teve relações pela manhã, à noite deveria repetir o ritual, do mesmo jeitinho. Ele jurou que, daquele modo, a chance de ter uma menina era de 70%.

Já no Rio, fui fazer o teste para ver se eu estava ovulando certinho e, quando estava escrevendo na minha cadernetinha de anotações de ovulação, Luciano ajoelhou-se na minha frente e me disse:

— Que tal você dar um pai para o seu filho?

Eu disse que respeitava a vontade que ele tinha de casar, mas que eu não queria. Só namorar já estava legal. E ele repetiu a pergunta:

— Que tal você dar um pai para o seu filho?

E eu entendi que ele estava abrindo mão de um sonho para realizar o meu. E resolvemos tentar. Fizemos o teste da ovulação. Estava na hora. Fizemos o que o médico falou: transamos pela primeira vez sem camisinha. Primeiro, gozou fora. Segunda, dentro. Depois, transamos de novo, e fizemos da mesma forma. E à tarde, antes de ele viajar a trabalho, transamos mais uma vez. Do mesmo jeito.

Pouco menos de um mês depois, nem estava atrasada ainda, eu fui fotografar um comercial para a Monange, no estúdio do André Schiliró em São Paulo. E alguém disse:

— A Xuxa está diferente, um brilho... você está grávida?

Ao voltar para o Rio, de avião, eu enjoei muito. Eu e o Luciano estávamos meio brigados, mas liguei para ele e decidimos fazer um teste de farmácia. Grávida!

— Não é possível! Foi só naquele dia. Como pode? — perguntou ele.

Agendamos um laboratório que iria tirar o sangue em casa. O exame foi feito no nome da Maria, para não chamar atenção. Quando o resultado chegou, Maria entrou toda feliz com o papel do exame nas mãos:

— Parabéns, mamãe!

Eu fiquei tão atônita que soltei uma frase não muito agradável para o Lu — devido à briga que tivemos — e fui tomar banho.

Olhei a água que escorria pela minha barriga. Grávida.

Assim que descobri, em um sábado, corremos para o Faustão no dia seguinte e anunciamos a gravidez. Explico: eu tinha prometido a ele que, quando ficasse grávida, contaria primeiro no programa dele. E, para mim, a palavra vale muito.

Minha baixinha

Lembro que a Sasha nasceu de segunda para terça-feira, à 0h35.

Naquele dia, eu estava na esteira e comecei a sentir uma coisa estranha: minha barriga ficava dura, eu morria de rir, e depois relaxava. Disseram que eu deveria ir ao médico, que poderiam ser contrações. Fui me arrumar para ir ao consultório, olhei no espelho e pensei:

— Agora, sim, estou grávida! Olha só o barrigão! Que legal!

Gostei tanto daquele barrigão pontudo que até parei para tirar uma foto. Afinal, foi o momento no qual me senti mais grávida, mais plena. Já no consultório, ouvi:

— Xuxa, é para valer, você está tendo contrações de verdade. É raro uma contração assim, sem dor, mas você precisa ir ao hospital. Agora!

Mas eu ainda voltei para casa, queria me despedir dos bichos todos. Não iria sair para ter minha filha sem avisar os cachorros, os periquitos, os macacos.

Me arrumei e fui para o hospital. Dirigindo e rindo das contrações.

O médico ainda disse que tinha que me preparar com urgência. E eu insistia que não era contração o que sentia e que, de acordo com as previsões, ela chegaria no sábado.

— Não é melhor esperar?

— Xuxa, você vai entrar no centro cirúrgico agora! Escuta o que eu estou te dizendo: se algo acontecer com você, o Brasil me mata — disse o médico.

— Mas não vai ser como nos filmes, que a grávida grita?

— Vamos para a mesa, agora!

Como eu tinha três miomas, o indicado era fazer uma cesárea. E Sasha chegou. Linda, cheirosa. Perfeita.

Em menos de vinte dias, eu já estava gravando música. Um mês depois, já tinha *Criança esperança* para fazer. E também tinha meu programa, claro. Mas tudo era ao redor de um calendário voltado para ela. Era o "*Sasha's time*". E os compromissos só eram agendados entre as mamadas ou quando eu a colocava para dormir. Aos três meses de vida, ela já tinha seu berço no meu camarim, no Teatro Fênix, e me acompanhava o tempo todo. Eu não podia ficar longe dela.

A exemplo da minha mãe — que se tornaria a melhor avó do mundo para Sassá —, eu poderia encher este livro só de histórias dela. Então, vou contar algumas.

Antes mesmo de nos tornarmos veganas, quando Sassá era muito pequena, a gente já não comia carne. Pois bem, estávamos a caminho da fazenda de um amigo, ela viu vaquinhas nos pastos e me perguntou:

— Qual a diferença da vaquinha branca e preta e daquelas só brancas?

— As brancas são para corte...

— Corte? Como corte?

— Elas vão virar bife para as pessoas comerem...

— Elas vão morrer?

— Vão...

Ela, então, colocou a cabeça para fora da janela do carro e gritou para as vaquinhas brancas que pastavam:

— Corre, foge que eles vão matar vocês! Corre!

Foi um dos inúmeros momentos em que me senti orgulhosa por ser mãe dela.

Minha filha me dizia cada coisa, me surpreendia com tanta história... Aos dois anos, a gente estava na piscina e ela me falou:

— Mãe, você vai me bater?

— Não, filha, nunca vou te bater. Quando você crescer, você vai entender que eu faço campanha para que os pais não batam nos filhos...

— Ah, que bom! Nas outras vidas, meus outros pais e minhas outras mães me batiam muito.

Eu só consegui pensar: "Carácolis, se existe isso, de outras vidas, acho que ela me escolheu. Ela veio, dessa vez, para uma pessoa que nunca iria levantar a mão para ela".

Certa vez, ela me disse que tinha um irmão chamado Maurício, lá no céu, e me contou como ele era: ruivo ("cabelo vermelho" nas palavras dela), com sardas e olhos claros. Como ela tinha menos de dois anos, eu ouvia intrigada.

Sasha sempre dizia que ele tinha um lindo sorriso e que adorava ficar com ele, que ele cuidava muito bem dela. E ela contava isso para um monte de gente. Era lindo testemunhar a certeza nos olhos dela quando contava daquele irmão.

Como ela tinha essa coisa de falar do céu, de contar de "outras vidas", as surpresas não paravam. Uma vez, ela falou que toda noite recebia a visita do "avô velho". O papo foi meio assim:

— Mami, o vô velho vem me ver toda noite.

— Sassá, não chama o vô Luiz de velho. Ele pode ficar chateado.

— Não, não é o vô Luiz. É o vô velho. Que tem o cabelo bem preto e um nariz de palhaço. Fica me fazendo rir!

— Nariz de palhaço? Me explica melhor isso...

— É, o nome dele é vô Aldo.

Fui até a minha mãe e perguntei:

— Mãe, a senhora contou algo sobre o vô Aldo e o nariz de palhaço para a Sasha?

— Eu não, filha. A menina tem dois anos, não vai entender dessas coisas.

— Ixi...

— O que foi?

— Vem aqui um pouco.

A gente ainda morava na Casa Rosa e a Sasha estava brincando em um banheiro bem grande que tinha lá. Chegamos e eu disse:

— Conta para a vovó o que você acabou de me falar! O que você vê todas as noites?

— O vô velho entra toda noite no meu quarto. Ele chega na luz e tem nariz de palhaço. Me faz rir toda hora.

A mãe começou a chorar.

— Como ele aparece para ela e nunca apareceu para mim? Queria tanto ver meu pai de novo...

— Mãe, a ligação de vocês duas é muito forte. E dizem que crianças muito pequenas estão mais abertas a ver coisas... sei lá... — eu repetia, atônita.

Sassá ainda viu a foto dele, que temos em um quadro, e disse que aquele era o vô velho. Um ano depois, mais ou menos, a vó Olívia morreu. E Sasha veio me dizer:

— Vô Aldo me disse que não vai mais aparecer, que ia ter uma festa no céu no dia 14 de abril e no final do ano.

Não entendi nada. E lá fui eu contar para a minha mãe o que tinha acabado de ouvir.

— Xuxa, 14 de abril é aniversário da minha mãe, lembra? Ah, e 31 de dezembro é aniversário do meu pai...

A conexão Alda-Sasha é forte demais. Digo é, pois a Sasha, em seus gostos e jeito, sempre me lembrou mais a minha mãe do que a mim. O fato de gostar de pintura, de roupas e de moda. Sasha não tem medo das cores e é muito musical.

A gente descobriu que minha mãe estava doente quando Sasha tinha seus dois anos. Ela estava brincando de massinha com a neta e vimos que a mão tremia muito.

— Eu acho que não dormi bem essa noite. Devo estar cansada — disse minha mãe.

Mas aquilo não saiu da minha cabeça e comecei a notar essa tremedeira em outros momentos. Então, a convenci a ir ao médico e veio o diagnóstico: Parkinson.

Mesmo com aquela notícia que tirou o meu chão, Aldinha parecia ter gana de viver, pelo simples fato de querer ser avó o máximo que pudesse. Se enquanto mãe ela foi presente e firme na educação dos filhos, os netos ela queria mesmo era mimar. Com ela, eles faziam tudo o que queriam. Tudo.

Quando Sasha tinha uns quatro anos, e os sintomas do Parkinson já eram mais evidentes, eu presenciei uma cena que me deixou, ao mesmo tempo, chocada, mas cheia de amor.

As duas estavam em Orlando, onde minha mãe instalara duas redes na varanda. As redes ficavam uma ao lado da outra. Minha mãe contava uma piada de papagaio — um papagaio meio pervertido, pois ela adorava falar uns palavrões — e Sassá ria, ria, ria. Não importava quantas vezes ela contasse a piada, eu ouvia os risos de onde estivesse.

Logo depois, começaram a fazer uma brincadeira perigosa, na qual se penduravam nas redes, para ver quem caía primeiro! Olha que loucura! Eu vou até a varanda e vejo minha mãe rindo. E de cara no chão.

— Sassá, já te expliquei que a vovó está doente. Tem que tomar cuidado com esse tipo de brincadeira.

Eu dei as costas e pronto: minha mãe a atiçou de novo e as duas voltaram a fazer a bagunça na rede. Olhei para trás, já tinha uma de ponta-cabeça e a outra rolando de rir. Essa era a avó Alda.

Uma das grandes emoções da minha vida eu tive quando minha filha, aos doze anos, me entregou um poema. E, como estou dividindo com você minha intimidade, quero mostrar aqui:

Você é quem procuro
Quando fico com medo do escuro
Nunca me negou a mão

Em seu olhar
Encontro lá meu lar
Você sempre estará no meu coração

Você me ensinou o certo e o errado
Obrigada por estar ao meu lado
Seus conselhos sempre ficarão

Meu anjo, melhor mãe do mundo
Meu porto seguro, minha luz que vem lá do fundo
E a você devo minha eterna gratidão.

Fala se não é para ficar explodindo de amor e de orgulho? Por isso mesmo, fico contando histórias... pois colocar em palavras o tamanho do meu sentimento por ela é impossível. Todo mundo sabe da paixão que eu tenho por minha filha. A certeza que eu tenho é de que isso vem de outras vidas. Não pode ser tudo isso, todo esse sentimento criado, sentido, apenas desta vida. Eu a amo tanto que não consigo me ver sem ela, sem sua alegria, seu cheiro, sua presença.

Uma chateação no meu paraíso

Sasha tinha exatamente um ano quando fui surpreendida por uma declaração bastante infeliz do então ministro da Saúde José Serra. Ele começou a falar que a "mídia" estava exaltando a produção independente de filhos. E soltou a seguinte frase:

— Eu fico imaginando quantas adolescentes não se influenciaram pela produção independente da Xuxa com a Sasha.

Peraí. Eu não tinha direito de ser mãe? Outra: a Sasha tem pai! Eu namorei o Luciano e por não ter me casado no papel isso fazia com que eu fosse "mãe solteira" e que a Sassá fosse fruto de "produção independente"? Faça-me o favor! Fora que ele desrespeitava, com a declaração, todas as mães solo. Que não são poucas e, a maioria, é guerreira para sustentar e educar o filho.

Mas o pior foi ele ter dito que eu não era um "bom exemplo" para crianças e adolescentes. Aí mexeu no meu mais profundo. Mexeu em uma das coisas mais sagradas que existe dentro de mim. Na época, eu fazia as campanhas de vacinação da poliomielite e do sarampo, pois eu sabia o quanto aquilo era importante.

Além de não cobrar nada, eu já cheguei a ter que ir às pressas a estúdios na Espanha, por exemplo, onde gravava o meu programa, para poder fazer spots para rádios convocando as crianças para a vacinação. Eu dava um jeito. Nunca disse "não" a essas campanhas. Com a campanha, eu pude ajudar em parte desta grande conquista que foi vacinar 94% das crianças com o lema "gotinha, gotinha e tchau, tchau paralisia infantil". E depois ainda vem falar mal de mim?

Fiquei tão mal com aquilo que precisei responder... e respondi no *Jornal Nacional*:

— Eu acho sua declaração, ministro José Serra, injusta e demagógica. Mau exemplo é o que eu vejo todo dia no noticiário: aumento de preço de remédio, plano de saúde que não respeita os cidadãos e hospitais sem médicos. Olha, eu não me casei, viu? Mas eu tenho condições de criar e educar minha filha, o que não acontece com a maioria do nosso povo. Sabe por quê? Porque eles são vítimas de políticos que preferem dar entrevistas de impacto em vez de tomar decisões que melhorem a vida das pessoas. Ministro, eu acabei de ser convidada pra fazer a campanha de vacinação, o senhor sabia? Estou à disposição. Tchau, ministro.

Só para baixinhos

Um dos grandes orgulhos da minha carreira é o *Xuxa só para baixinhos*. O primeiro saiu em 2000 e ele foi gestado durante muitos e muitos meses. Sempre fui curiosa, sempre pesquisei e estudei muito o que se fazia para crianças no mundo todo. No meu trabalho de pesquisa, eu comprava fitas VHS do Japão aos Estados Unidos. Das coisas mais diversas possíveis. Lia livros infantis, assim como livros teóricos sobre a infância.

Disso tudo, saiu o *XSPB*. Me lembro que o modelo era tão diferente no Brasil que a Som Livre tratou o contrato como "projeto". Foi difícil chegar à porcentagem de royalties para o VHS, pois esse modelo de álbum visual, que é o *XSPB*, com todas as músicas traduzidas em clipes, era algo muito diferente.

Tão diferente que eu tive de pagar do meu bolso para fazer o primeiro. Acho que, no fundo, não achavam que iria dar tão certo. Não teve adiantamento, nada. Mas, quando lançamos, a procura foi enorme! Lembro que, poucos meses depois do lançamento, eu ia fazer o show da chegada do Papai Noel no Maracanã. Foi só eu começar:

— *Cinco patinhos...*

E o estádio inteiro começou a cantar, em uníssono:

— *... foram passear, além das montanhas para brincar/ A mamãe gritou: Quá, quá, quá, quá...*

Ali, eu tive a noção exata de que o *XSPB*, que era tão diferente, que pouca gente embarcou no projeto no início, chegou às pessoas! O CD foi certificado como platina, pelas vendas, e o vídeo teve ouro duplo. E ganhei Grammys, o grande prêmio da música internacional. Em 2020, estamos no 13º título, que é o ABC do *XSPB*.

Então, pensando bem, estive com diversas gerações de crianças. Tem a geração do *Xou*; a geração que cresceu vendo *Planeta* e *Xuxa Park*; a geração do *Mundo* e do *XSPB*...

A Deborah Secco já me disse em entrevistas que me ouvia dizer "Querer, poder e conseguir". E que foi isso que a fez correr atrás de seu sonho de ser atriz. Você, que está aí lendo, tem alguma história comigo? Se tiver, é por isso, é por tanta manifestação de carinho, que sinto que valeu a pena.

Exemplos e agradecimentos

"Eu vou morrer trabalhando. Mas (quando eu me for), com toda a honestidade: colocaria a Xuxa no meu lugar". Essa frase é do Chacrinha. Ele falou isso pouco tempo antes de partir, durante uma entrevista. Lembro de ter sentido um misto de emoção e de responsabilidade: foi parte da minha infância ficar grudada na TV o assistindo. Lembra do sonho de cantar lá? Pois é... a vida me trouxe esse presente e não só cantei como dividi o teatro com ele.

Quem foi baixinho da época do *Xou* vai se lembrar disso: "Rua Saturnino de Brito, 74. Jardim Botânico, Rio de Janeiro. CEP 22470". Quando eu ia fazer o sorteio, era esse o endereço que eu falava para que as pessoas enviassem as cartas. Falei isso centenas de vezes. E era nesse endereço, do Teatro Fênix, que eu gravava o programa, assim como o Chacrinha.

As produções — do meu programa e do dele — ficavam numa casinha de dois andares. A dele, em cima e a minha, embaixo. E eu sempre ia visitá-lo quando ele estava por lá. Um dia, pouco antes de operar, foi ele que veio até mim. Desceu, de boné, e abriu a camisa branca de botões, me mostrando um monte de linhas e marcações feitas com uma caneta.[8]

[8] Em março de 1988, Chacrinha fez uma cirurgia para a retirada da pleura, para tentar melhorar o funcionamento do pulmão. Sua situação foi se agravando e ele faleceu em junho daquele ano.

— Olha, minha filha, vão me furar inteiro.

— Você está com medo?

— Você tem uma fé tão bonita. Reza por mim.

Eu peguei nas mãos dele e olhei bem nos olhos. Percebi que ele não estava confiante. Nunca tinha o visto sem os óculos e ele os tirou para secar os olhos. Pouco tempo depois, ele se foi. A importância desse homem para a TV é enorme. E para a minha vida também. Logo que fui para a Globo, minha ficha ainda não havia caído de que eu estava na maior emissora do país. Era inacreditável. Foi quando vi o Russo, assistente de palco do Chacrinha, nos corredores:

— Vou trabalhar com você também — ele me disse, animado.

Foi só aí que eu acreditei:

— Caramba! Estou na Globo!

Outro ser de luz que entrou em minha vida para ficar foi Hebe Camargo. Quem não amava a Hebe? Aquele jeito exagerado de viver a vida, como se fosse o último momento, sempre chamou minha atenção. Ela era um sonho. Nunca a vi apenas rindo: eram gargalhadas, daquelas de fazer fechar os olhos.

Em 1989, a Globo me liberou para eu ir até o programa da Hebe, que era no SBT. Ela me recebeu tão bem… a produção dela, o carinho, o público do auditório… Como eu gravava o meu programa no Rio e o da Hebe era em São Paulo, só isso já garantiu um monte de gente que me esperou na porta e que não coube no estúdio. Ela me recebeu dizendo que era a maior estrela do país. E eu só queria agradecer. Foi um daqueles momentos emocionantes que ficaram para sempre na memória.

Para sempre vou me lembrar que muito antes disso, quando eu tinha apenas dezoito anos e namorava o Pelé, fui a uma festa com ele. Era modelo ainda e botava uma xuquinha para cima. Hebe estava lá, veio até mim e falou:

— Se eu botar um cabelo desse, eu vou ficar horrível. Mas em você fica lindo.

Sempre tão fofa! A gente se acabou de dançar naquela noite. Em um dado momento, eu tive dor no joelho e queria me sentar. Ela só me respondeu:

— Que dor no joelho, o quê? Parece mais velha que eu! Vamos dançar!

Para sempre também levo comigo a generosidade de ela ter me ajudado em tanta coisa. A primeira geladeira para a Fundação Xuxa Meneghel foi ela quem deu. Se eu precisava de ajuda em projetos sociais, sabia que podia contar com ela. Ela me deu a honra de participar de um de meus filmes, *O Mistério de Feiurinha*, em 2009.

E para sempre vou levar no coração o fato de que fui a última pessoa de fora da família a visitá-la, antes de sua partida. Eu estava com meu anel de Nossa Senhora e ela falou:

— Que lindo!

— É seu — eu disse, entregando para ela na mesma hora.

Sempre tive uma ligação muito carinhosa com ela. Hebe é eterna e, se tem alguém que merece uma coroa na TV, essa pessoa foi, é e sempre será Hebe Camargo.

De volta às crianças

O *Xuxa Park* terminou um pouco antes por causa de um incêndio no cenário. Um dos piores dias da minha vida, ver as pessoas em perigo, o fogo consumindo tudo... A gente já estava gravando alguns dos programas (se não me engano eram cinco, para terminar aquela temporada). Uma semana antes, eu havia reunido parte da equipe: Lueli, cenógrafa, e seu assistente; Junior, produtor, e Gaúcho, o cameraman que me seguia, muitas vezes, na nave.

— Gaúcho, não quero mais você comigo na nave, sonhei que ela estava pegando fogo. Tem alguma possibilidade de isso acontecer, Lueli?

— Xu, a gente faz todos os testes para que não, isso não aconteça, claro. Mas temos bombeiros no estúdio, até para o caso de algum imprevisto.

Pois bem, gravamos os cinco programas. O último seria o de Carnaval. E Sasha subiria na nave comigo.

— Hoje é o último programa, não pegou fogo, posso entrar com você na nave? — perguntou Gaúcho.

— O.k., pode... — respondi.

Já no final, gravando o último bloco. Justamente aquele em que eu subiria na nave para ir embora, começou a fumaça. A nave ficou fechada, o que não era usual. Ela sempre ficava aberta. Como as luzes eram coladas, com o calor da nave fechada, acabaram derretendo. E caindo no sofá da nave. Foi onde começou o fogo. Sasha não viu nada, pois se atrasou. Uma amiguinha que estava com ela teve dor de barriga e não chegaram a tempo.

Fiquei traumatizada. As cenas, até hoje, às vezes voltam à minha cabeça. Tanto que pedi para que os programas prontos e editados não fossem ao ar. Por respeito a quem se machucou.

Mas eu queria tanto voltar a falar com meus baixinhos! Queria tanto poder trabalhar com eles novamente. Não é exagero dizer que falta uma parte minha quando não tenho projetos voltados ao público infantil.

Marlene não queria mais trabalhar para crianças e a relação se desgastou muito. Cada uma seguiu para um lado e eu estreei, em 2002, o *Xuxa no Mundo da Imaginação*.

Estava nas nuvens! Voltei a ter as crianças comigo. Com danças e quadros dirigidos aos baixinhos, tinha um formato mais educativo. Os cenários, mais lúdicos, traziam castelos, casinhas de doces, flores coloridas e montanhas. E tinha a Sasha comigo! Que sonho!

A bruxa Keka é de lá. Ela nasceu de uma história que eu contava para a Sasha, de uma bruxinha que adorava ir atrás de crianças birrentas, ou que não escovavam os dentes... Sem dúvida, foi a personagem de maior repercussão do *Xuxa no Mundo da Imaginação* e uma das criações mais lembradas de toda a minha carreira. Tanto que, com o fim do programa, Keka ganhou um quadro no *TV Xuxa* até a temporada de 2006. Eu adorava me vestir de bruxa! A caracterização era tão boa, eu ficava tão diferente, que tinha o cuidado de gravar separadamente o quadro — sem crianças — para não confundi-las. O *Mundo* ficou no ar até 2004.

Pensando em tudo o que fiz, nos 29 anos em que fiquei na Globo, eu nem sei como conseguia. Passeava por toda a programação sem pedir licença. Crianças, jovens e adultos faziam parte da minha vida e eu da deles. Conquistei outros países, cresci como apresentadora e empresária, vi o Boni (que respeito muito) deixar a emissora, assim como seus substitutos — a dona Marluce Dias (tenho um carinho enorme por ela) e o sr. Octávio Florisbal (sempre me tratou com carinho e respeito). O último diretor da Globo com quem trabalhei foi o Henrique Schroder. Com ele, antes de qualquer um na emissora, falei sobre meu trauma de infância. Schroder me ouviu como homem, pai e profissional. Juntos, decidimos expor essa questão do abuso pela primeira vez, no *Fantástico*, de forma séria e jornalística, em 2012. Isso deu voz às pessoas que sofriam caladas o mesmo trauma que eu. Serei eternamente grata ao que vivi e aprendi. Tenho gratidão pela família Marinho, lembro muito do seu Roberto (fundador da Globo) e da dona Lily (esposa dele). Fora as equipes maravilhosas que participaram de todos os meus sonhos na TV. É muita gente — daria um livro inteiro só com nomes! —, e quero deixar claro: ninguém faz nada sozinho. Por isso, meu muito obrigada a todos.

Aposentadoria?

NESSAS ALTURAS, juro que já pensava que, talvez, fosse a hora de me aposentar. Talvez me dedicar a projetos ocasionais?

Mas, em 2015, veio uma proposta da Record. E eu aceitei. Foi algo de muita coragem, mudar de casa desse jeito, com essa bagagem toda que já contei aqui.

E ter ido para lá me fez aprender coisas novas. Passei a fazer formatos diferentes, tive que aprender a ir ao ar ao vivo — que era algo que fazia esporadicamente. E a usar ponto: nunca havia usado. Depois de anos de carreira, ainda aprendo. Se existe espaço para aprender, dá para adiar um pouco a aposentadoria, não é?

O voo do meu amor

NADA É COMPARADO AO TANTO DE AMOR, de alegria, de completude que eu sinto sendo mãe da Sasha. Temos uma ligação tão enorme, tão grande que eu, por diversas vezes, disse que ela era o motivo de minha felicidade. O motivo de meu viver. E que a queria sempre por perto.

E ouvi, algumas vezes, daquela pessoinha:

— Não fala assim, mami, é muito pesado pra uma criança levar essa responsabilidade.

Ela tinha razão, preciso aprender a ser feliz também longe dela. No fim das contas, se ela estiver bem, eu estarei também. Isso tudo eu tive que repetir para mim mesma quando a vi crescer. Quando ela, aos dezoito anos, pegou sua mala e foi para Nova York estudar moda, eu não sabia como fazer para aguentar a distância física. Olha a vida mudando a minha posição na história. Se um dia eu tive que ir para Nova York e minha mãe ficou aqui, com o coração apertado, agora era a minha vez de sentir o que Aldinha sentiu. Então, na minha cabeça — e para não ser egoísta e deixar que minha filha vivesse suas escolhas — eu repetia, quase como um mantra: "Se ela estiver feliz, eu estarei feliz".

No fim, é isso, a felicidade dela, com certeza, é a minha. Eu sou tão orgulhosa de tê-la como filha que não penso em minha vida sem ela.

E, olha, essa mudança, logo no início, já me fez passar por uma provação... Ela iria completar dezenove anos por lá. Em sua nova cidade. E, pela primeira vez, em dezenove anos, eu passei o dia 28 de julho longe dela. Pela primeira vez, em dezenove anos, eu não estive presente, fisicamente, no dia do aniversário da Sasha.

Em princípio, pensei em fazer uma surpresa: pegaria o avião numa terça-feira à noite (que era o dia 25) para chegar a Nova York na quarta de manhã. Ficaria com ela até sexta à tarde, dia do níver, e voltaria para o Rio de Janeiro, chegando ao Brasil no sábado. Toda essa correria seria necessária porque no domingo precisava ensaiar o *Dancing Brasil*.

Porém, minha pequena de dezenove aninhos resolveu ir a um evento beneficente em Saint-Tropez, na França. Com isso, não tive como fazer a surpresa e passei o dia vendo suas fotos lindas e pensando: definitivamente, ela é uma mulher, maior de idade... e, mesmo sendo o meu bebezão para sempre, resolveu cortar o cordão umbilical. Eu fico aqui reclamando. Mas, mesmo que ela tivesse demorado mais tempo para sair de casa, mesmo que tivesse ficado comigo até os 25, 26 anos de idade, eu iria sofrer igualmente.

Ela é meu melhor pedaço. Ela me fez uma pessoa melhor, é simplesmente o que eu sempre quis, a pessoa certa no momento certo da minha vida, o sorriso que enche e preenche minha vida. Se eu pudesse, eu a protegeria de tudo. Mas não posso. E ela, leoa que é, não quer. Ela já me deu vários puxões de orelha, me chamou para a realidade, me colocou no chão. Sempre com muito amor e carinho, mas sinto que ela veio me ensinar muito mais do que eu ensino a ela. Vou deixar muito bem registrado aqui: Sasha é a mais madura da relação. Ela me dá aulas. Ela nasceu pronta.

As pessoas pensaram, logo que ela nasceu, que ela seria metida. Pois é óbvio que eu mimaria minha filha! Mimo o filho dos outros, não mimaria a minha? E, não, ela não é deslumbrada, não é patricinha, não é metida. E poderia. Por tudo o que eu mimei! É a índole dela. E o fato de eu usar muito a verdade com ela. Desde muito pequena. Nunca a tratei de um jeito tatibitate, como nunca fiz isso com os filhos dos outros. Como toda criança, eu sempre tive a certeza de que ela tinha que ser respeitada. É raro eu dizer "não" para ela, até hoje. A vida já diz tanto "não"! Tanto que, quando eu digo "não", ela sabe que é algo sério, nem me questiona. Por que eu seria mais uma pedra no caminho dela se a vida já é tão difícil? E a gente conversa muito, sobre tudo. Isso faz a diferença. Conversem com as crianças, com os adolescentes. Eles vão te entender melhor. Vão respeitar. É importante dividir a vida, de fato, com quem a gente ama. Seja criança, adolescente, velho, bicho... E ela sabe o limite dela! Pelo fato de eu conversar e explicar tudo, ela conhece bem os limites.

E eu vibro com as conquistas da Sassá. Ela é e será o meu grande amor, o que Deus pôde me dar de mais valioso nessas vidas todas que passamos juntas.

Hoje, quando a vejo como essa mulher forte e determinada, é difícil mudar a chave. Ela será, para sempre, o meu bebê que amo da ponta do pé até o último fio de cabelo... E vamos combinar? Que cabelo! Que pezinho lindo...

Te amo, meu anjo, quero te ver feliz sempre porque sei que serei feliz também apenas com um pequeno sorriso, imagina com gargalhadas suas? O que quero pra você? Todas as noites, quando rezo, peço para Deus que tudo de melhor que houver nessa vida aconteça para você. E ele me ouve bem... Ah, e obrigada. Obrigada por me deixar ser sua mãe.

Dois momentos: muita água na casa rosa, acima, e pintando, abaixo.

Fotos acervo pessoal

Prova de peruca e de figurinos no camarim, em Barcelona.

Fotos acervo pessoal

Com Michael Jackson, em 1992; ao lado, na cozinha da casa rosa (acho que era meu níver).

Com meu filho Zezinho na casa de Miami, que foi destruída por um tufão.
Ele tinha tanto ciúme de mim que, quando eu ia dar comida para os pássaros, ele "roubava" o pacote do chão e comia tudo.

Gosto dessa foto, mas não me lembro se estava em Los Angeles ou Miami. Em Los Angeles, eu ficava em um apartamento, mas costumava alugar, por diárias, uma casa aos fins de semana para tomar sol.

Os "táxis da Xuxa" e muito carinho na Argentina. Até hoje, quando vou para lá, é desse modo que sou recebida. Tenho muito carinho por meus fãs argentinos.

Fotos Anna Hernandez

Uma das maiores alegrias da minha vida: receber as bênçãos do papa João Paulo II com minha mãe, em 1992. Levamos uma imagem de São Francisco de presente para ele; abaixo, bem à vontade em Angra, um dos meus lugares favoritos no mundo.

Anna Hernandez

Bem "lôka", surgindo do teto na turnê Tô de Bem com a Vida (1996).

Fotos acervo pessoal

Fotos do especial *Xuxa 10 anos*, na Globo, em 1996: no clipe de "Príncipe encantado", inspirada em Marilyn Monroe, e com minhas Paquitas de diferentes gerações.

Fotos Anna Hernandez

Toda a alegria
e o carinho no
Xuxa Park.

Fotos acervo pessoal

Eu e minha mãe comprando bugigangas e aprontando em NY (1997).

MULTI-LEVEL UP TO 90,000 SQ. FT.
RETAIL (212) 477-2700
STANFORD
HOTEL

Fotos acervo pessoal

Só tenho uma coisa a declarar: QUE SAUDADE DESSA BARRIGA!!!

Prainha do Canto Verde, em Beberibe, perto de Fortaleza: refúgio.

Roberto Cerqueira/Agência O Globo

E meu bebê encheu
minha vida de amor.

Fotos acervo pessoal

Sassá, a mais linda do mundo todo. Olhando essas fotos, consigo sentir o cheirinho dela bebê. Na imagem maior, ela dava seus primeiros passinhos.

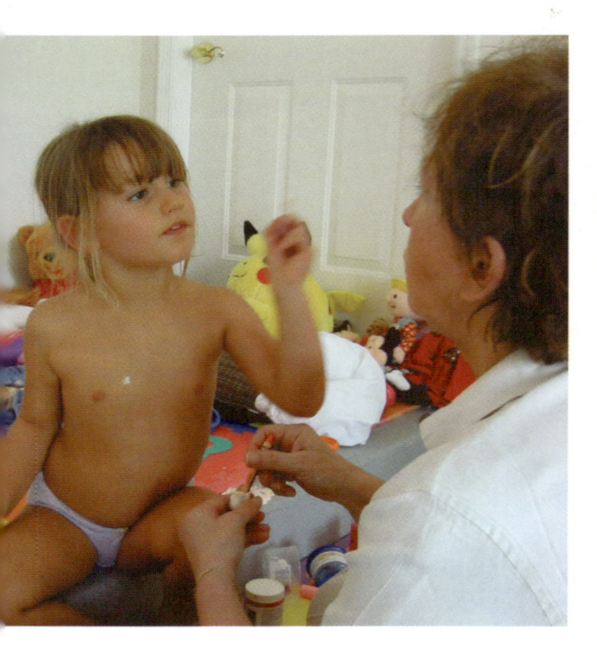

Vovó Aldinha nunca dizia não: e Sasha pintava (literalmente!) e bordava com ela. As duas eram cúmplices na molecagem e no amor. Era lindo de ver.

Fotos acervo pessoal

Neve e muita farra com Sassá.

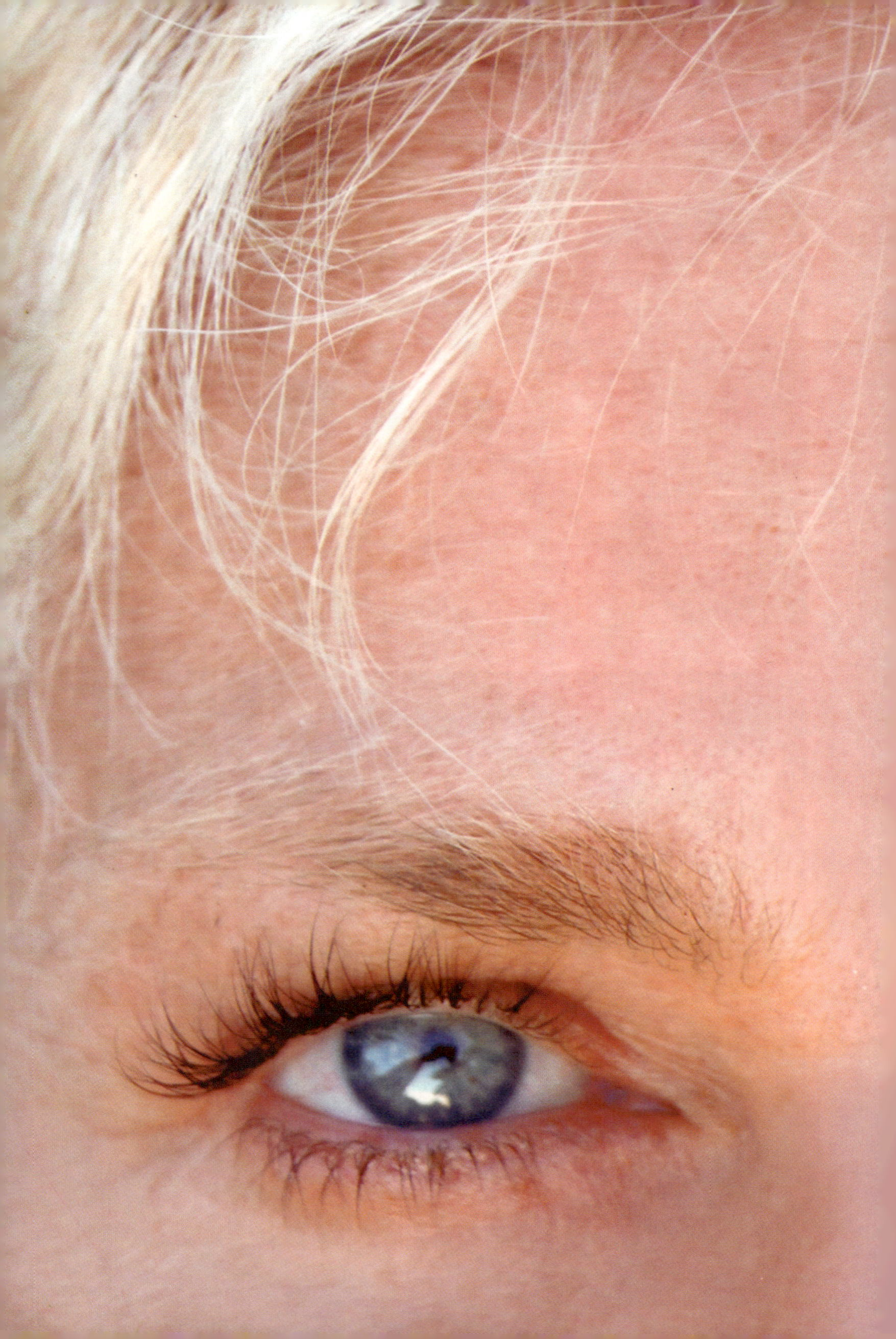

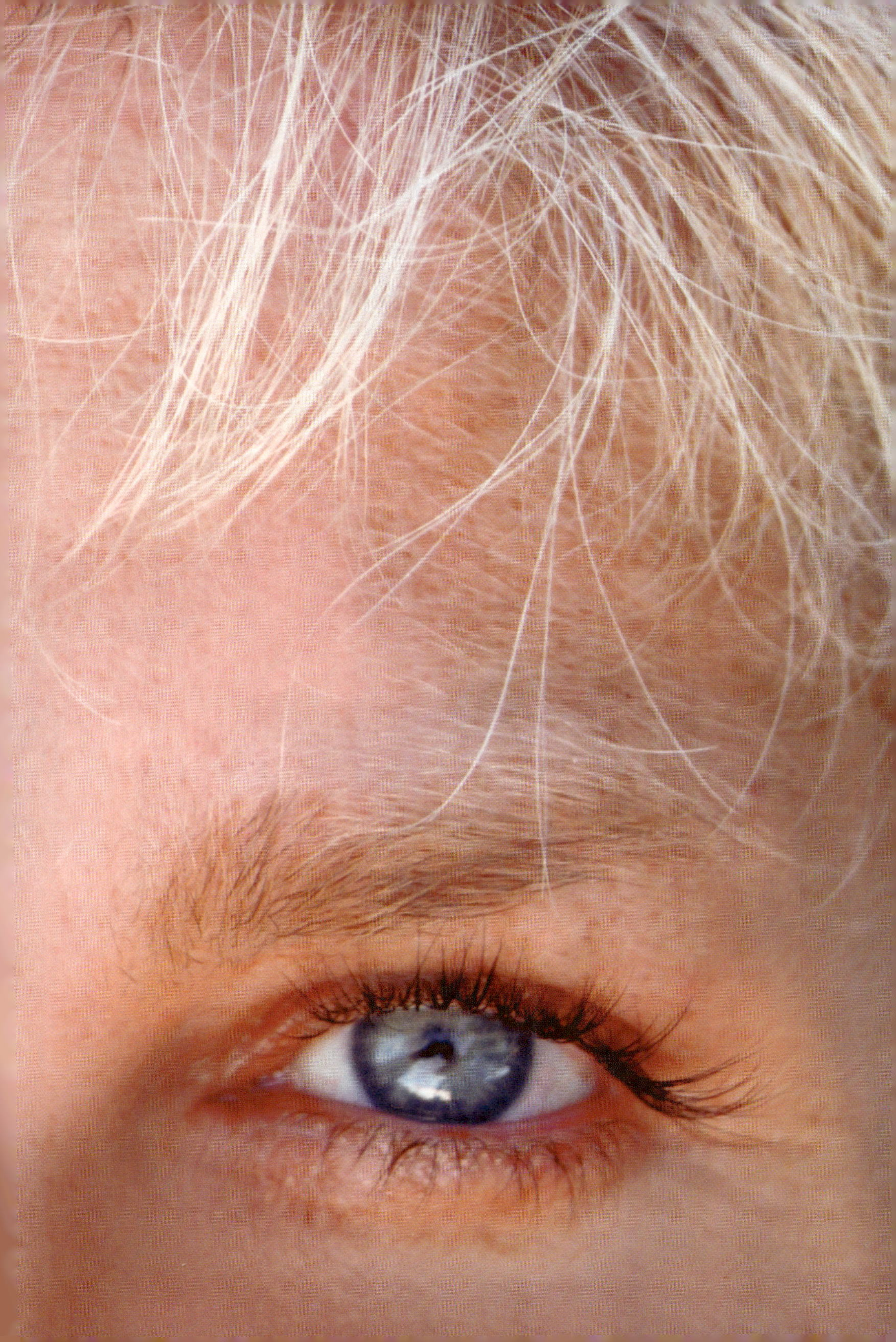

Fotos Blad Meneghel

Uma das épocas mais divertidas da vida: fazer o programa *Xuxa no Mundo da Imaginação*. A bruxa Keka fez o maior sucesso e Sassá ajudava na produção, pegava o microfone e gritava: "Gravandooo, mãe!".

Andre Wanderley

Valeu a pena ter estudado tanto e ter sido tão obstinada (pra não dizer teimosa) e realizar o *Xuxa só para Baixinhos*. Além do sucesso, ganhei prêmios Grammy, que reconhecem os melhores projetos musicais do mundo! Sem falar do carinho que recebo dos baixinhos que a-do-ram os XSPBs. E teve gente que não acreditou…

Foi olhando essa praia linda em Anguilla, no Caribe, que minha mãe me disse: "Eu só vou ficar sossegada quando ver, com esses olhos, a chegada da pessoa que eu enxergo nas suas mãos. Que vai encher sua vida de música". Abaixo, quando pintei meu cabelo de preto e fiz uma surpresa para ela, que já estava bem doente. Aldinha sempre sonhou em ter uma filha morena. Olha a carinha de emocionada!

Fotos acervo pessoal e Blad Meneghel

Acima, minha chegada na Record, em 2015. Carinho de fãs e colegas.
Abaixo, com Mário Lúcio Vaz, meu anjo da guarda, a quem sempre serei grata.

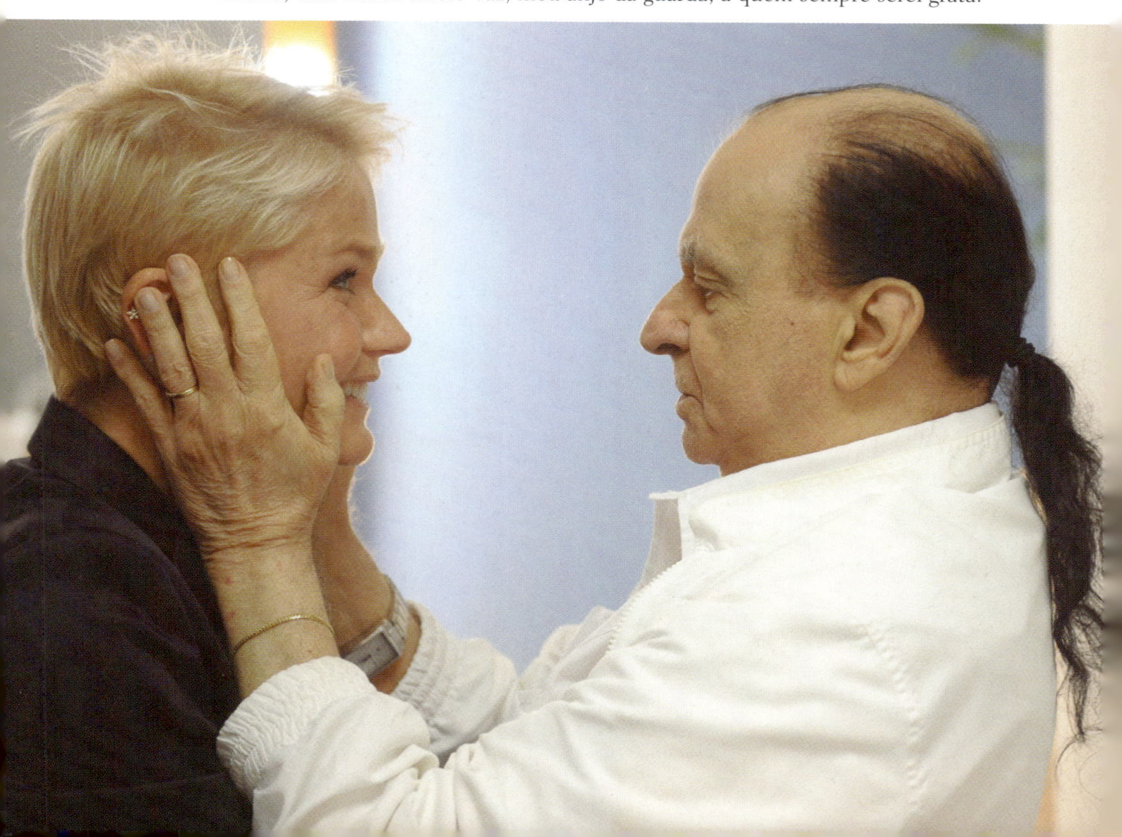

Tudo o que posso e puder fazer para melhorar a vida de uma criança, eu farei. Aqui, ao lado, quando estive em Brasília, em 2014, na Semana Nacional de Enfrentamento à Violência Sexual contra Crianças e Adolescentes, com a então ministra da Secretaria de Direitos Humanos, Ideli Salvatti. Abaixo, conversando com um baixinho na Fundação Xuxa Meneghel, que mantive durante 29 anos; e com Betinho, na Aldeia Nissi (Angola), uma das entidades que recebe a doação dos royalties deste livro.

Fotos Blad Meneghel e acervo pessoal

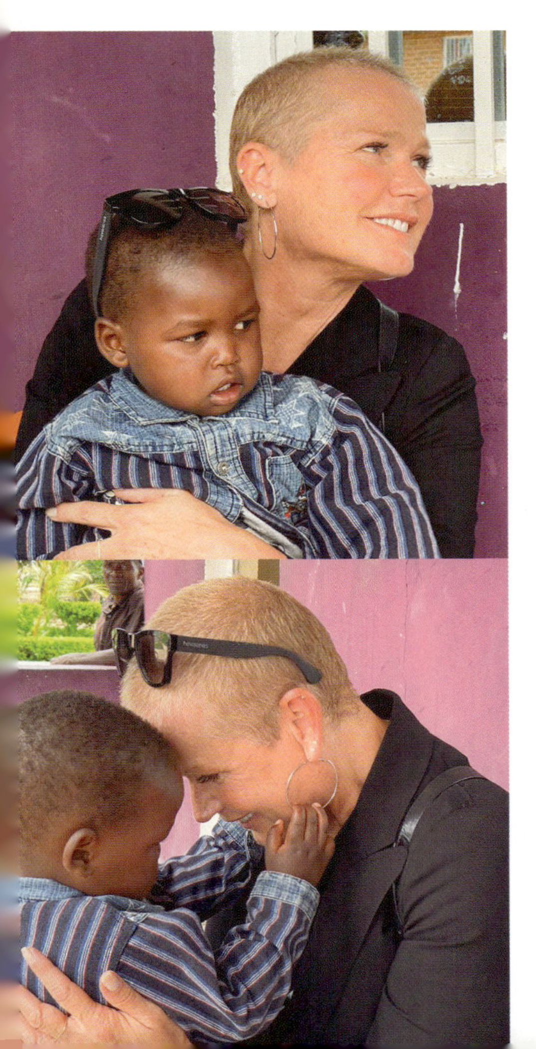

Fotos Blad Meneghel

Com meu Ju, cheia de alegria, amor e música (como previu Aldinha). Nas fotos em destaque: nós e Dudu no *Dancing Brasil*; ao lado, no desfile da Yes, Brazil, relembrando os anos 80. Abaixo: veganos juntos.

Fotos Blad Meneghel

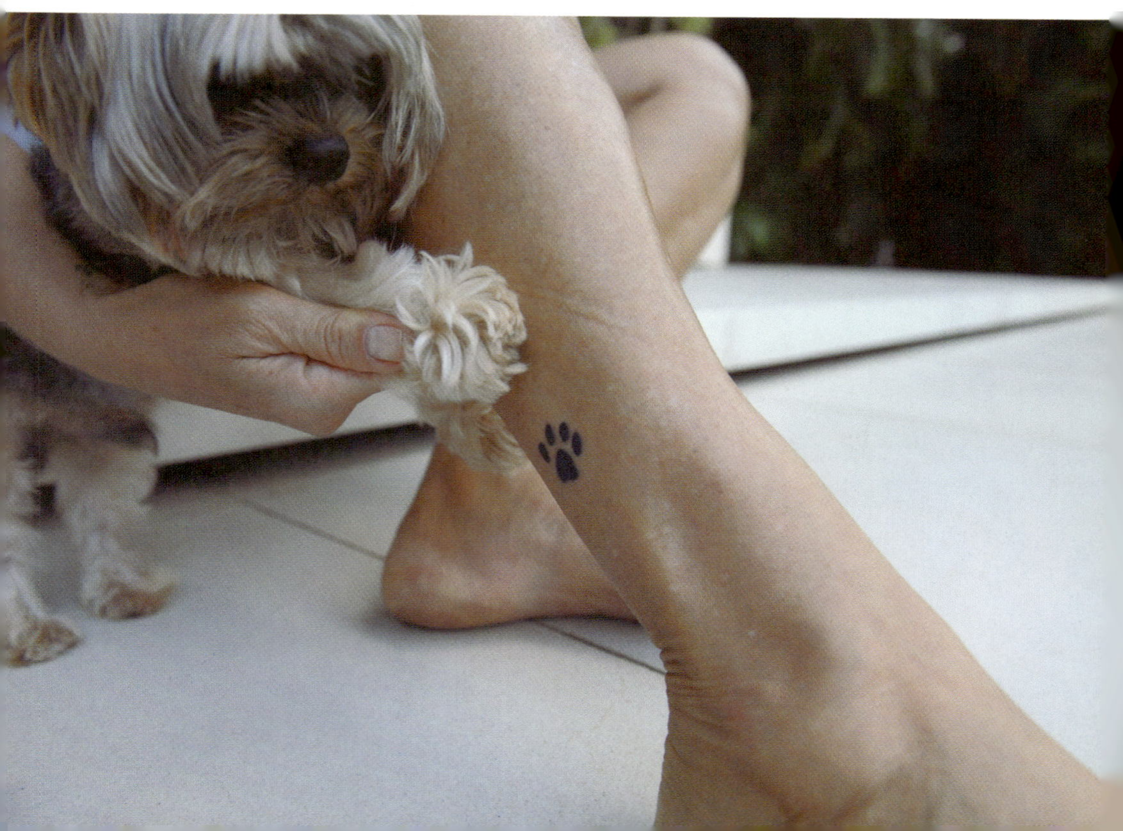

Dudu, meu filho peludo, meu amor. Estava sempre comigo! Na página ao lado, a tattoo da patinha dele e bastidores. Acima, uma gravação (atenção para o casaco de PELÚCIA. Não precisa arrancar a pele de bicho nenhum para isso). Abaixo, no Prêmio Quem, no qual fui homenageada. Dudu foi e fez a festa com convidados como Fátima Bernardes e William Bonner. Que saudade…

Sassá quis raspar minha cabeça na cozinha, em NY.

Blad Meneghel

Escrito nas estrelas

— Olha! Você tem um casamento depois dos cinquenta. Não tinha visto!

— O quê? O quê???

— É! Um casamento!

— Não fala isso, não!

— Mas talvez não seja esse casamentozinho normal, mas um casamento que te preencha, que te some.

— Eu não quero, não!

Esse papo aconteceu em novembro de 2012, com a quiróloga Regina Shakti, que ao ler minhas mãos no *TV Xuxa*, na Globo, disse que eu reencontraria uma pessoa e me casaria.

Claro, não acreditei. Eu já estava certa de que iria morrer solteira. Sem um novo amor. E, casamento? Tava fora disso!

Pois bem, uma semana depois, recebi as pautas para a gravação do próximo programa. Entre as atrações, estava Junno Andrade no quadro Memória X. Como assim? Sabia que ele estava na novela *Salve Jorge*, no papel de Santiago, mas na minha memória?! Não me lembrava dele...

Na gravação, rolou um clima... bem, bonito ele é, não poderia negar. Entre uma música e outra, ele mandou, cantando sem a banda, uma canção que não estava ensaiada:

Um dia uma cigana leu a minha mão
Falou que o destino do meu coração
Daria muitas voltas
Mas ia encontrar você
Eu confesso que na hora duvidei
Lembrei de quantas vezes eu acreditei
Mas não dava certo não era pra acontecer
Foi só você chegar pra me convencer
Que estava escrito nas estrelas
Que eu ia te conhecer

As Paquitas ficavam:

— É ele!

E eu não entendia. Ao fim da apresentação, ele pediu meu número de telefone. Como eu havia mudado de número naquela semana e ainda não tinha decorado, pedi que deixasse o contato dele. E pensei: "Não vou ligar".

Na mesma época, outro artista, bem mais novo, também havia pedido meu telefone com a desculpa de que queria dicas para abrir uma fundação. Mas, pasme, ele começou a me cantar. Mandou até foto sem camisa. O cara tinha seus vinte e poucos anos. E eu, quase cinquenta.

— Escuta, tia Xuxa não fica com quem foi baixinho dela. Não vou ficar com um cara da sua idade — deixei bem claro.

Então, algo me fazia pensar no Ju. No carinho, na gentileza do programa. E eu ainda ficava matutando: ele não vai ser tão bobo e jogar essas cantadas imaturas do ex-baixinho que ficou me procurando. O Ju tinha sido tão legal, disse que eu fazia parte de momentos bacanas da vida dele. Liguei. Ele disse que não imaginava que eu telefonaria. Porém, pediu desculpas, pois estava com a filha. E que a gente poderia conversar em outro momento.

O que poderia ser algo ruim para boa parte das pessoas, acendeu um alerta do bem para mim. Pensei: "É pai e coloca a filha em primeiro lugar. Logo, entenderá quando eu puser a Sasha na frente. Gostei!".

Conversamos outro dia, perguntei se fumava, bebia... Ele negou. Ainda disse que não comia carne e que estava praticando ioga. Marquei um encontro e já o recebi com um beijo. Não iria ficar enrolando. Conversamos até de madrugada. Ele foi embora com o dia clareando. E ele fez uma proposta de "irmos com calma". Então, decidi não vê-lo mais.

Por quê? Pedir a uma ariana que fosse com calma? Não, né? Ju quis me ver no dia seguinte e eu despistei: "Então, estou ocupada".

Na semana seguinte, eu tinha que ir a São Paulo. Um amigo me deu um conselho para deixar de ser tão teimosa e tentar mais uma vez. Afinal, ele era um cara que poderia valer a pena. Resolvi marcar um encontro. A resposta dele?

— Tô cansado, já estou até deitado de pijama.

Afff... Detesto ouvir "não".

— Ué, vem me ver mesmo assim.

E ele veio. No dia seguinte, estava lá de novo. E depois. E depois. E foi ficando bom! Decidimos que seríamos "ficantes". Entretanto, como a Sasha estava sempre comigo, eu teria que apresentá-los. E o papo foi mais ou menos assim:

— Ju, não posso te apresentar para ela como o "ficante da mamãe". Ela ainda é uma adolescente. Não dá. Acho que vou ter que te apresentar como namorado.

E foi assim que nos tornamos namorados. E, depois de Sasha, o apresentei à minha mãe, aos meus bichos...

E nunca mais me imaginei sem ele. Ju encheu minha vida de poesia, música, alegria e muito, muito amor! Hoje, ao escrever isso, penso como foi bom eu ter deixado de lado o medo de viver, de conhecer quem pudesse me fazer feliz e a quem eu pudesse fazer feliz também.

Deus me deu alguém que me entende no olhar, que me aceita como sou, que me acha linda com ou sem maquiagem, de cabelo curto ou comprido, com roupa ou sem (acho que até mais sem). Que tem tesão por mim.

Poderia ficar fazendo listas do que mais gosto dele. O cheiro (como já devem ter percebido, sou uma pessoa muito ligada a cheiro), o gosto, a voz, o corpo, o caráter, o humor, o sorriso... o sexo!

Hoje, tenho o prazer — prazer mesmo — em dizer que tenho meu *crush*, peguete, ficante, namorado, amorzinho... meu homem! Enfim, tudo em uma única pessoa. O meu Ju é um poeta. Ele sempre me deu o melhor dele. E este melhor vem em forma de música, poesia e muitos mimos. Falando em poesia e música, Ju escolheu algumas para mostrar para vocês. Com a palavra, Junno Andrade:

> Estes são alguns dos poemas e textos que fiz para a Xu. O primeiro é recente e fala de nossos sete anos juntos, que celebramos em 2020.
>
> *Sete anos!!*
>
> *Se a busca for o tempo, quero muito mais.*
>
> *E quando sete, que é conta de mentiroso, se torna minha melhor verdade, digo que quero passar dos setenta com você. Passar dos cem, quem sabe... e setecentas formas de beijar diferente, devagar, de repente, sempre.*
>
> *Sete mil olhares, amassos, mordidas, risos. Quero devorar e ser devorado por esse nosso amor, da gente, que só a gente entende, só a gente sabe o quanto é bom e singular. E nesse futuro que começa hoje, quero que sua melhor gargalhada seja nossa trilha sonora e que meu abraço mais forte seja o seu destino. E que bom poder dizer que, na emblemática crise dos sete, te amo e te respeito cada dia mais. Esse amor é sorte!*

Teu!

E quando o dia amanhece sem você… sou noite
Escuridão
Até se pássaro cantar, silêncio
E se ventar a brisa… asfixia!

Só há graça se te abraçar logo cedo
Olhar seu olhar
Encostar rosto no rosto

Teu abraço me desperta pra vida
Me dá corda
Acende

Daí, posso seguir
Vejo céu, sol… o azul
E meu sorriso acorda

Você é a flor quando eu, abelha
Osso bom quando eu, cão
E quando nada é… sou todo!
Teu

Como moro em São Paulo e ela no Rio, este poema, a seguir, fiz em um dia em que a gente não estava junto:

Dia azul
Como o seu olhar
E quando você não está
De tanta falta
No céu mergulho
E no infinito encontro sentido
De olhar pra dentro

E te perceber
Seu amor
É novelo de lã
Um dia não se vê a ponta
Noutro, é manta que aquece
Volta logo
e traz você pra mim.

Não é a coisa mais linda? Amo olhar dentro dos olhos dele, sentir o cheiro da sua respiração, receber seus carinhos, saber que ele está por perto, que pensa em mim... E, claro, amo fazer amor com ele. Porém, isso pode parecer um detalhe, uma vez que já amei fazer amor com outros também. No entanto, a relação não tinha isso tudo que tenho com o Ju. E é justamente isso que, quando inexperientes, não vemos ou não sentimos.

Ouvimos muito que um relacionamento, para dar certo ou existir, precisa de um bom sexo. E passamos a buscar isso. Sim, concordo, sexo bom faz toda a diferença. Porém, só com esse item o romance será apenas mais um na sua lista de relacionamentos. Quem diria, eu precisei viver meio século para descobrir que, quando a gente passa a vida toda buscando alguém, não encontra essa pessoa. Mas, quando a vida te oferece a resposta em forma de gente, aceite como um presente e não duvide, apenas seja feliz. E, olha, eu vou te dizer: a maturidade faz tudo tão melhor! A gente não quer mais conto de fadas. Isso é coisa boba. A gente quer é uma bela história de amor. Ou, melhor ainda, muitas histórias de amor dentro de uma história de amor com uma pessoa tão especial. Cumplicidade única, com direito a muita sacanagem, sexo e muito amor. Pode ser que lendo assim pareça feio ou vulgar, mas garanto que minhas histórias anteriores a ele foram uma preparação para tudo que eu estou vivendo hoje!

Por tudo isso, digo e repito: quero morrer ao seu lado, Ju.

O metrô de NY e o trem de Bento Ribeiro

Quando Sassá foi para Nova York, eu, a mãe carente — me deixe! —, ia para lá o máximo que podia. Claro que tinha a tecnologia de fazer chamadas de vídeo etc. Mas não é a mesma coisa que sentir o cheiro dela.

Em Nova York, além da minha filha, o que já era mais do que suficiente, eu também experimentava uma liberdade que não tenho mais por aqui há décadas.

A gente vai a restaurantes, bate perna nas ruas com toda a liberdade do anonimato. Se você vir uma mulher parecida comigo pela Marshalls, que é uma loja de preços bem populares de lá, pode ter certeza de que sou eu. Pois bem, já andei muito de trem na minha vida, quando morava no subúrbio do Rio de Janeiro. Todos os dias, pegava esse meio de transporte até a Central. O percurso durava uma hora. Em seguida, tomava um ônibus para onde precisasse ir. Sempre gostei mais de circular de trem, pois no ônibus eu enjoava.

Na época, toda a família Meneghel — eu, meus pais e meus irmãos, Blad, Cira, Mara, Sola, além do Kiko (meu cachorro) e Nando (meu periquito) — pegava o trem de Bento Ribeiro até Deodoro. Um percurso de cerca de vinte minutos. Lá, trocávamos de trem para chegar até Santa Cruz. Mais uma hora de viagem. Depois, outro trem. Esse, feito de madeira, era chamado de "macaquinho".

Duas horas (ou mais) de trajeto e chegávamos a Coroa Grande. Andávamos um bom bocado com bolsas e os animais até chegarmos à casa que meu pai tinha alugado.

Escrevendo isso me veio o cheiro da borracha queimada do trem. Deu para ouvir meu irmão, Cira, cantando no "macaquinho". Senti o aroma de mato ao chegar a Coroa e até do desinfetante que a minha mãe usava para limpar a casa, principalmente o banheiro e a área, já que ficava tudo fechado durante a semana inteira... Queria tanto ter mais imagens dessa época! Mas não existiam celulares nem câmeras digitais. A gente até tinha uma câmera, com um rolo de filme de 42 poses. Cada "pose" significa uma foto. Ou seja: 42 fotos. E esse filme — como era muito caro para comprar e para revelar — tinha que durar o ano todo!

Voltando aos trens, existiam os mais rápidos, ou o Japeri, que era mais lento... E tinha um que nunca peguei: o tal do trem azul. Era lindo, mas caro!

Contei tudo isso para quê? Para dizer que, em Nova York, estando no metrô, eu relembro meus antigos momentos no trem do Rio. Metrô mesmo eu nunca tinha pegado. E foi lá a minha primeira vez. Da primeira experiência eu lembro da quentura da estação e do cheiro, não muito agradável. Mas eu amei.

Lógico que a minha primeira vez em um metrô não significa nada para muita gente. Mesmo porque, tem gente que precisa fazer isso todos os dias, em vagões lotados... Mas o fato é que passei a andar bastante de metrô em NY. Com o Ju, com minha filha... E, sempre que isso acontece, abro aquela caixinha guardada de boas recordações.

Você está causando sofrimento a um inocente?

Juntos, eu e Ju demos um dos passos mais importante de nossas vidas. Fui de macrobiótica, naturalista, vegetariana para, a partir do dia 8 de janeiro de 2018, uma alimentação 100% vegana.

Ao escrever isso, hoje, me pergunto:

Por que demorei tanto a fazer algo que está me fazendo tão bem?

Por que demorei tanto, já que sempre disse que amava os bichos?

E te respondo, com a maior honestidade: por falta de informação. Por ignorância mesmo. E por medo... Medo de saber que eu também fazia parte disso tudo que existe por aí e não queria me sentir mal por isso. Então, eu fugia dos pensamentos sobre o tema.

A primeira coisa que fiz depois de uma conversa com o Ju sobre alimentação e bichos foi assistir a documentários sobre o assunto, como o *Terráqueos*. No primeiro momento, parei.

— Ju, não aguento ver bichos sofrerem. Não quero mais ver isso, não.

Essa é a primeira coisa que nós seres humanos falamos para não ver a verdade da dor e dos maus-tratos contra os animais. Eu repetia:

— De que adianta ver tudo isso e não poder fazer nada?

Ju me deixou vendo o documentário e voltou para São Paulo — de carro —, portanto a viagem durou quase seis horas.

— E aí?

Ainda não tinha terminado. Chorei algumas vezes e tive que parar de ver, pois o choro atrapalhava a minha visão e a minha compreensão.

Quando terminei o documentário, eu me senti mal. Péssima. Era uma mistura de impotência, um mal-estar por fazer parte disso tudo e ainda uma tristeza enorme por não ter visto aquilo tudo antes.

E se a dor do bicho (que já deveria ser suficiente) não o fez desistir da carne, temos outro fator importante: a saúde. Assisti a mais alguns documentários até chegar ao *What the Health*, de 2017. Minha cabeça abriu tanto que pareceu ter explodido. No documentário, vi que a tal história de que a proteína — de que minha mãe falava e que a escola ensinava — vem só da carne dos animais é uma mentira. Essa é a proteína animal, que está impregnada nos tecidos dos bichos por terem comido a proteína vegetal, ou seja, a proteína vem do verde.

Assisti abobada ao documentário que me esfregava na cara que o animal come o verde e nós os comemos depois. Algo desnecessário, já que não somos carnívoros, e sim fomos acostumados desde pequenos a comer a carne.

Fiquei pensando: "Por que não me falaram disso antes? Por que as escolas não explicam isso? Por que eu tive que comer tantos anos algo que nunca quis comer?".

E tomei mais "tapas na cara" do documentário e de tantos outros que vi depois, explicando que tudo gira em torno do dinheiro, da ganância da indústria agropecuária e da indústria farmacêutica — que deveriam pelo menos nos informar de que certos tipos de carne são mais cancerígenos do que um cigarro. Uma reflexão que pode parecer boba, mas qual o motivo de ter aquela fotinho e aquele aviso de que o cigarro pode causar inúmeras doenças atrás dos maços e não vir o mesmo aviso nas embalagens de salame e de salsicha? Por que não nos informam?

A informação é necessária. É mais do que isso: é um direito. A partir da informação — como a do maço de cigarros —, cada pessoa pode decidir o que quer fazer da vida, se vai continuar a fumar ou não. O mesmo deveria acontecer com a carne.

Se você entra no site dos hospitais que tratam de câncer no mundo todo, a gente vê receitas de dieta para quem tem câncer, muitas delas com carne. Como assim, se já é provado o tanto que elas podem fazer mal e causar câncer?

Quer mais? Passei muito tempo fechando a minha torneira ao escovar os dentes, não gastando muito papel, economizando a energia elétrica...

Mas vamos aos fatos:

— Você sabia que, para se conseguir um quilo de carne, são gastos em média 15,5 mil litros de água? Enquanto isso, um quilo de milho, por exemplo, gasta novecentos litros de água.[9]

— Mais de 80% da Amazônia é desmatada, morta, para a agropecuária.[10] Matam as árvores para terem mais espaço para plantar soja modificada para alimentar os gados, para o pasto... A água que é gasta para essas plantações e os animais daria para sustentar lugares que estão em seca, com pessoas morrendo por falta de água.

— Para que comer um gado que comeu o grão, sendo que o grão em quantidade muito menor poderia alimentar tanta gente?

Ou seja, você que está preocupado com um mundo melhor — seja para você ou para seu filho — não tem desculpa: só parar de

[9] Disponível em: <https://www.waterfootprint.org/> . Acesso em: 9/7/2020.

[10] Disponível em: <https://nacoesunidas.org/fao-pastoreio-causou-80-do-desflorestamento-no-brasil-entre-1990-2005/>. Acesso em: 22/5/2020.

comer carne pode ajudar a natureza e o mundo. Parar de comer carne ajuda mais do que qualquer outro ato que você possa vir a fazer.

Se você parar de comer por completo, bichos e derivados de bichos, além de estar cuidando da sua saúde, ainda dará prejuízo para as empresas por trás disso, principalmente a indústria farmacêutica, que lucra com as doenças. E terão que repensar tudo! Terão que investir em produtos sem crueldade. Terão que seguir um novo caminho.

Antes, não havia internet. Para que esses dados chegassem a alguém, era mais complicado. Agora, com tanta informação ao nosso alcance — não valem *fake news*, hein? Vamos nos informar direito —, não temos como fechar os olhos.

Eu, você, nós temos a obrigação de saber e de decidir o que queremos para nós, para nossos filhos, para nossos netos, para o futuro do planeta. Você ainda quer ter um planeta para morar?

Não podemos mais receber informação truncada, não podemos fechar os olhos, não é moda, é importante você saber. Por isso, tem que pesquisar, se informar, para não repetir desinformações como: "Isso é a cadeia alimentar" ou, pior: "Deus criou os bichos pra nos alimentar". Não, não repita isso. Deus disse: "Não matarás". E não foi "não matarás (apenas os humanos)".

Hoje vejo muita gente falando muita coisa errada, repetem o que ouvem, repetem o que aquele parente mandou no "zap" sem checar nada. Mas, para mim, o mais absurdo, o que mais me move nessa causa, o que mais me deixa indignada é o fato de que não existe morte sem sofrimento, sem dor.

Já parou para pensar que esse sofrimento está dentro de você quando come um bichinho? Nós somos energia e essa energia da morte não é do bem, não é pura. Busque saber o motivo pelo qual não querem que a gente saiba o que existe por trás dos matadouros, abatedouros. Busque saber o motivo pelo qual os políticos não querem assinar leis para proteger os animais. Busque saber o tanto de atletas veganos mais fortes e mais saudáveis que os carnistas. Dê uma olhada no documentário *The Game Changers*, que você vai entender do que estou falando.

Chata

Lembro quando, no meu Instagram, postei imagens do documentário *Terráqueos* e, em seguida, fotos de produtos deliciosos que ganhei da tribo dos veganos. Para a minha surpresa, fui muito criticada. Tem muita gente que não está pronta para pensar na realidade daquele "bifinho". Que não consegue ficar sem seu baby beef. Sabe o que é um baby beef? Um pedaço de bebê, de um bezerro, arrancado à força de uma mãe vaca — que foi estuprada para ficar grávida e para depois tirarem o filho dela e roubarem o seu leite. E tem gente que vem me dizer que não pode viver sem isso? Faça-me o favor!

Lembro, ainda, que respondi com a imagem de uma vaca sendo cortada em comparação à de uma alface fatiada, para verem a diferença. Fui cru-ci-fi-ca-da mais ainda.

No texto, fiz uma legenda: "Pior que papo chato de vegano é a falta de respeito de quem não é, não existe compaixão na morte". Sei que fui infeliz ao dizer que papo de vegano é chato. Eu exigia respeito pela minha escolha e não soube me expressar. Agora, aproveito este meu livro, no qual posso escrever o que quiser, e peço desculpas aos veganos, que só não querem fazer parte da indústria sanguinária: o papo da gente não é chato. Usei a expressão errada. Chatas são as pessoas que não querem ver, ouvir ou se informar e ainda dizem que estamos errados.

Ninguém gosta de assumir, para o próprio ego, que causa sofrimento e morte. Eu mesma descobri muito tarde isso tudo. Mas, quem sabe, os meus netos e seus amigos não precisarão se envergonhar por tantos erros cometidos por nós?

Também quero dizer que passei a cozinhar mais. Mais legumes, verduras, grãos. E isso é muito mais barato do que um pedaço de bicho morto! Passei a descobrir novos paladares. Descobri pratos novos, temperos, sabores...

E vamos ser sinceros: estou terminando de escrever este livro em plena pandemia. Tantas doenças, vírus, bactérias vêm dessa indústria descontrolada da morte dos bichos, vêm dessa quantidade e do tal "manejo" dos animais usados como coisas. Um relatório da ONU já aponta que 70% das doenças modernas em humanos têm origem animal.[11] Você quer mesmo continuar a comer doenças? Você precisa ingerir isso? Você quer desmatar as florestas do mundo para ter um pedaço de bicho apodrecendo — sim, pois a carne começa a apodrecer assim que o bicho é assassinado — no seu prato?

Vejo o Natal — que é uma data que sempre foi tão querida por minha mãe —, em que celebramos Cristo, em que celebramos a vida. O amor ao próximo. Será que esse próximo só serve se não mugir, cacarejar, grunhir? Celebramos a vida colocando a morte de um animal no nosso prato? Não se trata de "comida", se trata de um peru, de uma galinha, de um peixe... soa um tanto hipócrita celebrar a vida com tanta morte.

Sem falar de outra hipocrisia: o especismo dos humanos, que julga outras raças como inferiores e as escraviza. Como é que pode alguém dizer que ama bicho — e ama seu cachorro ou gato — e comer o porquinho? A vaca? O peixe? Não, quem faz isso

[11] Disponível em: <https://oglobo.globo.com/sociedade/saude/relatorio-da-onu-aponta-que-70-das-novas-doencas-em-humanos-tiveram-origem-animal-11091150#:~:text=Ao%20todo%2C%2070%25%20das%20enfermidades,s%C3%A3o%20os%20continentes%20mais%20vulner%C3%A1veis.)>. Acesso em: 13/6/2020.

não ama bicho. E, se depois disso tudo você ainda quiser ir a uma churrascaria, vá e seja feliz. Mas entenda e tente ficar em paz com isso: a "escolha" é sua, mas os bichos que são mortos por sua gula não têm opção.

"Carácolis!"

Adoro dirigir eu mesma, sem essa de motorista, e um dia estava dirigindo meu carro, quando olhei para o lado e um cara jogou lixo pela janela dele. Segui o carro dele, que parou num cruzamento, abri o vidro e dei a maior bronca.

— Como é que você joga lixo pela janela? Está louco? Custa guardar e jogar depois, em casa?

— Pô, Xuxa! Que legal te ver!

— Eu estou falando sério, carácolis!

— Carácolis? Isso é o máximo que você fala quando está brava? — E riu.

Ainda tive que ouvir essa. Não sou de ficar falando palavrão. Mas, se eu falo, é que a coisa está feia.

"Agora, eu posso ir"

Aldinha também lia as minhas mãos. Ela se divertia ao ver que tinha um homem que, segundo ela me dizia, aparecia e desaparecia das minhas mãos. Ela via que um cara cheio de música e de poesia estava para chegar. Dali um tempo, ela não o via mais. Passava um tempo, lá estava ele de novo!

Um dia, a gente estava passando as férias em uma praia linda, em Anguilla, e ela olhava para aquele mar, aquele céu lindo, até que me disse:

— Eu só vou ficar sossegada quando ver, com esses olhos, a chegada da pessoa que eu enxergo nas suas mãos. Que vai encher sua vida de música. Eu sei que ele vai te fazer feliz.

Eu achava aquilo fofo, mas não tinha esperanças, sabe? Sentia falta de um namorado? Claro que sentia. Corre sangue nestas veias, não é? Mas era algo distante para mim.

E o Ju, como já contei, chegou... no primeiro encontro ela já percebeu que aquele cara, com aquele astral, com aquela musicalidade, era o artista que veio para me fazer companhia. Para construir uma vida juntos.

É uma pena que, quando ele chegou, ela já se movimentava pouco, apenas uma das mãos, e falava com dificuldade. Como eu disse, ela adorava um palavrão! E ele é cheio de falar palavrão, de pegar no pé das pessoas. Iguaizinhos! Então, imagine a liga Alda-Junno? Só para você ter uma ideia, uma vez, ela estava com a enfermeira e a fonoaudióloga na sala. A fono estava fazendo aquelas lições para tentar retardar o processo da perda da fala, e pedia para ela repetir sílabas, frases, fazia exercícios vocais. O Ju chegou, atrás dela, pedindo — só mexendo a boca, sem emitir som — que ela repetisse:

— Vai-to-mar-no-cu.

Alda abriu um sorriso e soltou:

— Vai-to-mar-no-cu.

— Ah, sogrinha! Eu te amo! — dizia ele.

Ela me disse, muitas vezes, que o tal artista iria me encher de música e de poesia. Sem saber disso, em nossos primeiros dois meses juntos, Ju fez músicas e poemas todos os dias. E ainda faz, com menor frequência, claro, mas faz.

Um dia ela entrou em coma. Ele tinha feito uma música para ela e quis mostrar mesmo assim... Chegou com seu violão, tocou e cantou. E ela voltou do coma. Toda vez que ele entrava no quarto, ela forçava um sorriso. Podia estar com dor, como fosse, o sorriso dela era para ele.

Com alguns momentos de paz e de alegria, eu seguia me perguntando como uma mulher tão forte, maravilhosa, amorosa, podia merecer aquilo tudo. Se a vida na infância não tinha sido fácil para Aldinha, a vida adulta com meu pai também foi bastante complicada. Como meu pai batia muito em meus irmãos, Aldinha vivia discutindo com ele, até que se revoltou e disse que se ele levantasse a mão para qualquer um de nós de novo, perderia mulher e filhos. Certa vez, meu pai teve câncer. Nesse período, minha mãe descobriu que era traída por ele com várias mulheres e sofreu: ela perdeu cabelo, pensou em suicídio. Anos depois, já separada do meu pai, ela vivia com outra pessoa, quando foi diagnosticada com Parkinson, e essa pessoa a deixou por causa da doença. Isso piorou os sintomas.

Os últimos anos de minha mãe com a gente foram bastante complicados. Ela não falava, não andava e se alimentava por sonda. Porém, sua cabeça funcionava cem por cento. E seus olhinhos estavam lá, sempre, para me seguir e me dizer o quanto ela me amava. Eu sempre soube que ela não partiu antes por minha causa.

Desse período, guardo uma lembrança muito forte, da Páscoa de 2015, quando decidi fazer uma "loucurinha": coloquei a minha Aldinha no carro — com duas enfermeiras e todo o equipamento necessário para que nada de ruim acontecesse — e a levei para viajar.

Claro que antes consultei os médicos, que me disseram que o trajeto deveria ser curto, sem muito tempo dentro do automóvel nem movimentos bruscos. Medo? Deu, claro! Mas arrisquei. Eu precisava dar aquele presente para ela e para mim. E foi incrível! Viajamos do Rio de Janeiro para Coroa Grande. São cerca de 84 quilômetros. Ela ficou deitada o tempo todo. Paramos para dar remédios e fazer a dieta por sonda gástrica.

Quando chegamos, mostrei a casinha em que vivemos lindos momentos nas férias do passado. Pude notar a satisfação em seu rosto, a alegria, o brilho e a VIDA que eu já não via há anos. Depois, pegamos mais 73 quilômetros de estrada para Angra dos Reis, também no Rio. Essa viagem durou duas horas, pois fizemos diversas paradas. Ao chegar, ela viu a lua cheia do píer e distribuiu ovos de Páscoa aos netos na beira da cama, sorrindo para cada um. Aldinha estava mais do que feliz!

No outro dia, a levamos para o mar. Tensão absoluta — dela e de nós, filhos, afinal toda a família se reuniu. Mas, assim que entrou, não quis mais sair da água. Ela olhava para as nuvens e para o mar como se nunca os tivesse visto. Sentia que seu coração estava cansado da cama, da fisioterapia, dos remédios e das restrições. E ela, que sempre me ensinou tanto, mostrou outras tantas coisas naquele momento... Como a felicidade genuína de rever uma casinha azul, que hoje é amarela; como a sensação única de deixar o vento bater no rosto; ou como olhar as árvores e o céu como se fosse a primeira vez.

Foi ali em Angra, quando minha mãe estava observando o céu e as nuvens, que começou a tocar uma música bonita. E Ju me tirou para dançar, bem perto do mar. E ela olhava para o mar, a exemplo do nosso dia em Anguilla, mas dessa vez ela me via, dançando, com um homem cheio de poesia. A enfermeira chegou perto de mim:

— Xuxa, dona Alda quer falar.

Fui até ela, que só mexia uma mão. Com aquela mão nos olhos, me mostrando que estava vendo aquela cena, ela me encarou e disse, com dificuldade:

— Agora eu posso ir.

Nossa, como isso mexe com a gente. Eu não queria, eu não estava preparada para perder a minha mãe.

Adeus, não. Até logo!

É UMA DOR IMENSA, até hoje, ter visto minha mãe definhando e não poder fazer muita coisa. Por mais que o dinheiro tenha possibilitado montar um mini-hospital no quarto para ela e contratar os maiores especialistas, ela não "ficou boa". Foi adoecendo cada vez mais.

Aquele exemplo de mulher, aquela fortaleza, aquela Alda, que moldou meu caráter com sua confiança em mim, adoeceu. O fato é que ela é (pois ainda é!) minha luz. E eu não queria ficar sem a presença física dela. Eu pedia — a ela e a Deus — que ficasse.

Todos os dias, agradecia e direcionava minhas preces à minha mãe: queria que ficasse bem, sem dor — e, no meu íntimo, que não a levassem de mim.

Todos os dias, antes de sair de casa para trabalhar, eu ia até o quarto dela, pedir a bênção e contar que estava indo. Ao voltar, eu ia lá, dizer que havia retornado, falava um pouco do meu dia... Porém, um pouco antes de ela partir, entrei no quarto dela e senti um nó na garganta. Estava escuro e uma música tocava para relaxá-la, pois não andava dormido bem. Vi seu corpo frágil, com as mãos e pernas rígidas. Pensei: "Será que Deus me ouviu e a deixou ficar, passar da hora?".

Perguntei:

— Mãe, você está sofrendo?

Ela fez uma carinha de choro... Doeu tanto que não consegui mais ficar no quarto. Saí de lá com uma dor enorme e um monte de dúvidas. Eu estava sendo egoísta por pedir tanto que ela ficasse? Eu estava errando ao querer o máximo minha mãe ao meu lado? Por que uma pessoa tão apaixonante e guerreira como ela precisava passar por isso?

A partir daquela noite, eu pedia apenas que a dor fosse embora, que ela ficasse bem. Tentava não pedir para que ela ficasse. Eu não podia ser egoísta. Nem sempre conseguia, mas tentava só pedir o melhor para ela.

Na noite do dia 7 de maio de 2018, eu vi pelo monitor, que ficava no quarto dela, que a batida do coração, a frequência cardíaca por minuto, estava em 45... fraquinho...

— Nossa, tem alguém com o coração fraco que me ama?

E ela me respondeu com um murmúrio. E partiu na manhã do dia seguinte, 8 de maio. Voou, levando um bom pedaço de mim. A saudade é enorme. Nunca vou me acostumar. Mas, hoje, penso que a luz é algo maior que a presença física. É divina. É etérea. É celestial. E ela está presente em tudo o que me ilumina. Te amo, mãe celestial.

Primeiro dia sem ela

Por muito tempo, eu ainda ouvia barulhinhos da mãe pela casa.

No primeiro dia sem ela, quando fui enterrá-la, a dor era enorme. Ao voltar para casa, eu fui até o quarto dela, só para avisar que já estava de volta.

Seu Meneghel

O pai sempre foi o senhor Meneghel. O senhor para o qual não podíamos fazer qualquer barulho para que ele dormisse bem. Era o senhor que tinha que se servir primeiro da comida, pois era ele quem trazia o alimento para casa. Eu sentia por ele uma mistura de medo e de respeito, pois ele sempre fora muito rígido.

Beijos e abraços? Apenas no Natal e em aniversário. Se bem que, muitas vezes, ele se esquecia dos aniversários dos filhos. Mas ele estava lá, do jeito dele. Minha mãe, sempre muito sábia, dizia que ele não sabia dar o que não recebeu, portanto eu pensava que ele nunca havia recebido amor dos pais.

Passei por momentos assustadores com ele. Uma vez, ele pegou o meu irmão Cira, tirou o uniforme do colégio militar para não sujar, o amarrou só de cueca, com as mãos para trás, em uma cadeira, bateu muito nele e o obrigou a comer feijão — pois ele não queria. Tenho essa imagem na minha cabeça até hoje. E, logo depois, ele começou a bater no meu irmão mais novo. Nem me lembro do motivo. Foi nesse dia que minha mãe ameaçou deixar a casa, levando todos os filhos junto, caso ele encostasse o dedo em alguém de novo. Assim, ele nunca mais bateu nos filhos, mas o medo reinava. E ele queria que o chamassem de seu Meneghel. Bem rígido, bem militar.

Depois da separação da minha mãe, fiquei sete anos sem falar com ele. Já contei que nos encontramos de novo no meu último *Xou*. Mas, sabe, voltei a falar com ele, pois me senti hipócrita. Eu o culpava pela separação por causa da traição, mas também já traí. Acho que, de algum modo, todo mundo já traiu. Um amor, um amigo, com uma mentira... O que me doeu, na real, foi ter sido com minha mãe. Ela, aquela mulher maravilhosa, não merecia passar por nada daquilo. Mas a gente amadurece, e eu percebi que não poderia ser assim com ele. Quem sou eu para julgá-lo?

Com a reaproximação, ele veio mudado, acho que passou a valorizar mais a vida que tinha com a gente. Tentou ser um avô legal, tentou até ser mais carinhoso com os filhos, mas sempre lhe custava muito, não me parecia natural.

Apesar disso, me lembro de momentos engraçados com ele que, com poucas palavras, tirava sarro de tudo. Sempre o achei um homem muito bonito, era professor de educação física e virou capitão reformado do exército. Era aquele gaúcho italianão que no final da vida entrou no hospital com dores nas costas, deram um remédio em dose errada que afinou seu sangue e fez com que ele sofresse hemorragia interna. Rins e depois outros órgãos pararam de funcionar e ele se foi no dia 19 de março de 2017 — um ano antes da minha mãe.

Eu pude perdoar meu pai antes que ele se fosse. E pude escutar o seu Meneghel dizendo que me amava. Não tem muito mais a ser dito de uma relação de tantas coisas mal resolvidas e que, um dia, tentei colocar nos eixos. Mas aprendi muito com ele. Aprendi que um casamento, mesmo com muito amor, filhos e conquistas pode não dar certo; aprendi que muitas vezes precisamos nos afastar do que temos para valorizar aquilo; aprendi que nunca bateria na minha filha; e aprendi que Sasha sempre estará em primeiro lugar, e não o trabalho nem os amigos.

Ele me ensinou, mesmo sem querer, que a vida tem dois lados e que podemos decidir qual caminho seguir, qual escolha fazer. Depois, que não adianta culpar os outros ou Deus por nossas escolhas.

Xô, preconceito!

Eu nunca entendi — nem nunca vou entender — a fixação, a loucura, a preocupação das pessoas sobre quem fica com quem. Isso vai mudar algo na vida? Não! Ainda existe gente que quer saber se João gosta de José e se Maria está interessada em Paula? Não é possível! Algo deve estar errado!

Alguém me explica o que está acontecendo? Pelo amor de Deus, me falem. Quando é que amor é algo feio? Quando é que amar é algo proibido? Juízes e políticos preconceituosos, desrespeitosos e homofóbicos — capazes de dizer que ser gay é ser doente — deveriam ser proibidos de ter qualquer cargo. Não deveriam nem poder se candidatar. Aliás, as pessoas que falam isso — qualquer pessoa — deveriam ser presas. Criaturas que defendem a necessidade de cuidados terapêuticos e psicológicos para supostamente "curar" uma determinada forma de amar? Que mundo é esse?

Isso me cansa tanto. Sei que falei do meu signo diversas vezes, mas o meu Áries faz com que eu seja rápida, que queira ir para a frente, não tenho paciência. E isso já nem deveria estar mais em pauta. O que as pessoas fazem da própria vida sexual não é da conta de nenhum político, igreja, escola ou meio de comunicação. Preconceito é crime! Acredito que, antes de almejar uma carreira política, todos os interessados deveriam passar por muitos testes psicológicos, para descobrir se são doentes. Preconceito, sim, é doença. E quem sofre disso não poderia se candidatar nem a síndico do prédio, quanto mais a cargos dos quais dependem o futuro do país.

Aliás, esses políticos homofóbicos não deveriam se preocupar em prestar assistência às crianças que são abandonadas ou que sofrem abusos? Aos idosos abandonados? E os problemas da educação? E a falta de saneamento? A falta de comida? É sério mesmo que preferem taxar os gays de doentes e propor "cura" a eles que, como todos nós, têm o direito de fazer o que quiserem com seus corpos?

Por favor, diga que nada disso está acontecendo!

Quero acordar em um planeta em que políticos, juízes, religiosos e pessoas capazes de mobilizar a opinião pública pensem com respeito e carinho na possibilidade de ajudar realmente quem precisa. E que ajudem, também, na aceitação do amor.

E às pessoas limitadas e sem escrúpulos, que adoram repetir que Deus, por ter criado Adão e Eva, não aceita os homossexuais, que o amor deles é pecado... simplesmente parem de usar o nome Dele para motivar guerras e disseminar algum tipo de preconceito!

A única linguagem que Deus entende é a do amor. Ame ao próximo como a ti mesmo. Ame, ame, ame e proteja. Principalmente quem não sabe e não consegue se proteger, as crianças e os bichos.

É ficar velho... ou morrer!

O TEMPO PASSA PARA TODOS. Portanto, isso não deveria ser motivo de falatório, preconceito ou espanto, certo? Pois é. Mas não é assim que funciona. Eu estou envelhecendo, como qualquer pessoa. Você leu essa frase e já está uns segundinhos mais velha ou mais velho. E tudo bem! Agora, imagina um país inteiro te observando e a internet dando palco para alguns *haters*.

Comecei a trabalhar com minha imagem na adolescência, quando aprendi o que era cara de tesão; lembra lá no começo quando contei isso? Eu me transformei na frente das câmeras. De menina para mulher. De mulher à mãe e de mãe... bem... As rugas e as marcas da vida vão sendo expostas para quem quiser ver.

Se eu engordava, se eu emagrecia, se eu cortava o cabelo ou se deixava crescer... Todos acompanhavam tudo! O nascimento da minha filha durou dez minutos no *Jornal nacional*. Sempre estive exposta a tudo e a todos, desde os meus melhores momentos e sentimentos até os piores.

Hoje, escrevo o livro com 57 anos, ouço pessoas falando que têm saudade do meu cabelo mais comprido, com as xucas. Por mais claro que esteja que isso não dá mais, vou lá e tento explicar, na medida do possível, que é um erro. Que não podemos ser a mesma pessoa até morrer. Que não vamos ter mais a mesma voz, nem o mesmo cabelo, nem a mesma pele. Assim como poderemos mudar de opinião, aprender coisas novas, entender melhor tanta coisa que acontece no mundo. Isso se chama evolução. E se eu continuasse com xucas, falando fino, eu estaria negando isso. Estaria negando minha evolução.

Já ouvi as pessoas falarem que eu estou velha e feia. Pois é... É cruel envelhecer na frente das câmeras e, como se já não bastasse isso, ainda ser cobrada, como se fosse um crime envelhecer! Não dá, sabe? Eu amadureci. Se envelheci é porque ainda estou aqui, viva. Se não morrer hoje, vou continuar envelhecendo.

E não quero me encher de botox, de preenchimento. Não quero e não vou. Não estou dizendo para não passar um creminho, tomar muita água, fazer algum exercício. Não é isso. Isso também tem a ver com saúde. Por exemplo: gosto de estar com as unhas bem-feitas, pernas lisinhas, vou sempre ao dentista, faço limpeza de pele. São coisas que me fazem bem. Mesmo quando não tinha grana, eu mesma fazia minha esfoliação caseira, fazia as unhas e raspava a perna com lâmina. Ainda não existia a Espaçolaser para me deixar assim, lisinha e sem pinicar. Mas eu dava um jeito de ficar sem os pelos, porque eu prefiro assim. Mas, claro, não julgo e respeito quem prefere não se depilar. Cada pessoa tem sua forma de ser e de pensar.

O que eu não gosto é de botox. E falo com conhecimento de causa: quando coloquei silicone, aaaanos atrás, como eu estava anestesiada, fizeram. Acordei e me disseram que tinham "feito uma surpresa". E foi o tal botox. Olha, ainda bem que sai em alguns meses! Eu fiquei muito chateada e jurei que não ia mais fazer. Minha cara ficou paralisada. E você, que está lendo, deve me conhecer um pouco, então sabe que sou careteira. Faz parte de mim, não posso perder minha expressão.

Então, não gosto quando ficam apontando o passar de meus anos como um fato ruim. Pois não é. Por exemplo, quer um assunto tabu, que boa parte das mulheres não gosta de tratar? Menopausa. Gente, que coisa boba! É natural, é libertador. E ainda bem que nem tive essas coisas de sentir muito calor nem nada. Eu passei aquela pomadinha... e só. E a vida continuou normalmente. Não é nenhum fim do mundo.

Ultimamente, ando vendo tantas mulheres incríveis e que vêm abraçando a idade, o que a maturidade traz de bom... Vi a Rita Lee na TV esses dias, com o cabelo branquinho, uma serenidade, uma lucidez, rodeada de bichos. E a Fernanda Montenegro também, cada vez mais elegante, uma aula para todos os seres humanos. Brigitte Bardot, a mulher mais desejada do cinema e que também não se esticou nem pintou o cabelo e dedica a vida aos animais. Todas maduras, em outra fase da vida.

Minha experiência com os seres humanos me fez uma pessoa mais direta e menos tolerante com o que acho errado ou me desrespeita. Ao contrário dos bichos — que nunca me decepcionaram —, levei muitos tombos da vida por causa de pessoas nas quais confiei. Então, hoje, não aceito e não tolero que sejam mal-educados comigo. Sempre que puder, vou gritar para todo mundo: hoje, madura, sou bem comida e amada; hoje, madura, sou realizada no meu trabalho; hoje, madura, estou louca pra viver as fases da terceira idade: ser avó e envelhecer ao lado de um homem que me ama do jeito que sou, sem botox e sem medo de ser feliz. Se eu fosse te dar um conselho, hoje, madura, seria esse: quer ser feliz? Vamos apertar o botãozinho do foda-se e vamos viver.

Por isso, não provoque...

Frequentemente eu penso nas coisas que nós, mulheres, temos que passar neste mundo justamente por sermos... mulheres! Digo isso, pois na minha época de modelo — quando ainda morava em Nova York — aconteciam coisas que me deixavam louca da vida. Vou resumir em um exemplo.

Eu chegava aos eventos, desfiles e sessão de fotos e, como sempre fui muito expansiva, falava com todo mundo, meio molecona mesmo. Um dia, numa dessas ocasiões, veio até mim um xeique árabe e apertou minha mão com um punhado de dinheiro. Joguei a grana no chão na hora, e ele falou:

— Isso é pouco? Qual o seu preço? Toda mulher tem um preço.

Nunca aceitei aquelas propostas. Cada um faz o que quer do corpo, mas o "toda mulher tem um preço" me deixou "p" da vida. E fui "colecionando" desrespeitos, com o passar do tempo, que só aconteceram por eu ser mulher. De cobranças para estar sempre jovem a linchamentos virtuais que não aconteceriam com um apresentador homem.

Uma vez escrevi isto, já foi até publicado, mas quero deixar registrado aqui também. Me parece — ainda — muito atual:

"O homem tem que ter pênis grande.

A mulher, clitóris minúsculo.

O peito masculino deve ser pequeno.

Mas dos seios da mulher exigem fartura. Assim como da bunda, que deve ser grande, redonda.

O homem pode ser careca. É charmoso.

Se a mulher tiver cabelo curto é feio, masculino.

O homem não precisa fazer as unhas, fazer cutícula. É sinal de virilidade.

Já a mão da mulher precisa estar sempre feita, pintada. Caso contrário, é desleixo.

Se o homem apresentar um cheiro forte… Ah, é pura masculinidade.

Já ela será chamada de suja.

O homem que cozinha, lava e passa roupa ganha status de gentleman. Um príncipe!

Para a mulher, isso não passa de obrigação.

Trair é da natureza masculina.

Ao fazer o mesmo, a mulher "vira" prostituta.

O homem barrigudo não é julgado.

Mas o corpo da mulher, que serve de moradia para uma nova vida por nove meses, tem a obrigação de recuperar as formas originais logo após o parto.

A mulher, por mais que ocupe um cargo equivalente ao do homem, ganha menos pela mesma tarefa.

O homem é incentivado a perder a virgindade cedo. O ato consumado é, inclusive, festejado.

A mulher é incentivada a se "preservar" sob o risco de castigo e humilhação.

Dependendo da roupa, ou da falta dela, a mulher é acusada de querer atenção.

O homem pode usar qualquer coisa a qualquer hora.

Para muita gente, para viver bem, uma mulher precisa de um homem ao lado.

A culpa de quem pensa assim é da sociedade que defende isso. O que eu, como mulher, gostaria de pedir? Eu quero e exijo RESPEITO!

Sem nós, mulheres, os homens nem existiriam."

O que eu mudaria em mim?

Sempre disse que poderia ser legal ter mais cabelo. Mas, hoje, estou aprendendo que me aceitar como sou deixa tudo mais leve.

Sem falsidade

Ao pedir algo, tenha certeza do que deseja. Falo isso, pois muitas vezes rezamos o Pai-Nosso — ou qualquer outra oração — de forma automática, sem de fato sentir aquilo que estamos falando ou pedindo. As palavras saem sem o real significado. E as palavras têm poder!

Estou me referindo, em especial, à parte do "livrai-nos de todo mal, amém". Sabe por que digo isso? Na vida, confiei em pessoas que mentiram para mim, me usaram... Não entendia por que fizeram comigo coisas que eu nunca faria a ninguém.

Me sentia burra por acreditar nelas, ingênua por deixar chegarem perto e inocente por não perceber o que queriam. Considerava-as como pessoas da família. Sobre algumas, pensava: "Essa gosta muito de mim e faria qualquer coisa para me proteger...". Já por outras, punha a mão no fogo de que não enganariam. Enfim, as coloquei na minha vida, na minha casa, nos meus planos...

Não nasci com aquele lance de sentir quando alguém quer apenas nos usar. Mas rezo muito e sei que Deus me ouve. Então, quando digo "livrai-nos de todo mal, amém", ele afasta essas pessoas.

Logo, devo agradecer. Antes, quando acontecia o distanciamento, eu questionava. Hoje, sei que pedi por ele, que é o melhor para mim. Ele sempre quer o melhor para mim.

Uma vez, gravava um quadro, o Faço Parte do Show, para meu programa na Record. Nele, eu participava do espetáculo de cantores, mas disfarçada como dançarina ou alguém da produção... Numa dessas, eu estava na entrada de um hotel, disfarçada, com peruca etc. E vi uma artista pela qual eu tinha um carinho. Gritei seu nome e ela pareceu não ouvir. Como tenho uma história bonita com uma de suas filhas e queria lhe mandar um beijo, corri atrás dela.

Ao chegar perto, ela me freou, colocando a mão na minha cara sem me olhar. Enquanto isso, pediu aos recepcionistas que fizessem algo rápido, pois perderia o avião. Após a equipe do hotel apontar insistentemente para mim, ela olhou para o meu rosto, me reconheceu e tudo mudou.

Fiquei tão chocada que só consegui dizer:

— Não quero tomar seu tempo, só mande um beijo para a sua filha.

Ela ficou puxando papo, voltou à recepção para falar comigo, como se nada tivesse acontecido. Mas ela não ia perder o avião? Pois bem, ali eu descobri quem era a pessoa de verdade.

Tempos atrás, conheci uma pessoa que se dizia minha irmã mais nova. Era um chamego só, um grude! Porém, na primeira oportunidade de demonstrar se gostava mais de mim ou de alguém que poderia lhe dar oportunidades de emprego, quem ela escolheu? Bingo! A pessoa que poderia dar aquele bom emprego.

Penso que Deus não faz nada que não seja para a gente aprender, para crescer e, claro, eu pedi, lembra? "Livrai-nos de todo mal..."

Então, pense: mais cedo ou mais tarde você saberá quem fez, mentiu, armou ou amou você de verdade. Por isso, eu agradeço todos os dias, pois sei que a proteção Dele eu tenho... Livrai-nos de todo mal, amém.

Só amor

Sou uma pessoa de muita sorte. Mesmo que muitos humanos tenham me decepcionado, sempre estive rodeada por bichos. E eles nunca, jamais, me machucaram. Pelo contrário, sempre é só amor.

Me lembrei do meu primeiro cachorrinho, o Kiko, que minha mãe doou, mesmo que eu tivesse ficado doente por causa dessa decisão dela. Tento entender, pois ela tinha pena de vê-lo viver em um apartamento tão pequeno, com tanta gente.

A dor da separação foi tão grande que ele morreu logo depois, de saudade. Desse dia em diante, jurei que a partir do momento em que tivesse condições e possibilidades, estaria sempre com um bicho. Afinal, é preciso dar remédio, limpar os dentes, vacinar, cortar pelos e unhas, dar uma boa ração, levar ao veterinário para ver se está tudo bem... é como cuidar de uma criança que será, para sempre, uma criança.

Depois desse juramento, eu já tive 54 cachorros de uma vez só, além de macacos, micos, aves variadas, lhamas, jacaré, porquinho-da-índia, coelhos, chinchilas. Por ter sido mantenedora do Ibama, os animais dessas espécies apreendidos do horror do tráfico, alguns até machucados, como preguiças, papagaios e macacos, iam para minha casa. Havia um espaço enorme para eles, eu tinha biólogos e veterinários disponíveis para cuidar deles.

Numa dessas, aconteceu uma coisa engraçada em 2012. Um tigre, que fez uma participação especial em uma novela,[12] estava em viagem de volta para casa e passaria por perto. Como estava muito calor, um forte verão no Rio, ele não iria aguentar a viagem durante o dia e, por isso, decidiram me ligar e perguntar se ele poderia aguardar… na minha piscina! Eu aceitei mais do que depressa, ainda fiquei ali com ele. O pessoal de casa desesperado, olhando de longe, das portas e janelas. E eu na piscina com aquele bichano gigante. Foi um dos momentos mais felizes da minha existência.

Tem um veterinário que me chama de dr. Dolittle, pois, uma vez, teve uma ventania e quatro papagaios morreram. Um, que estava com eles, sobreviveu. Eu cheguei a ele e falei:

— O que aconteceu?

— Morreu — disse o papagaio.

— Como? — perguntei.

— Cof cof — ele respondeu, imitando uma tosse.

— E agora?

— Xiiii — disse ele, olhando para outros dois papagaios que ainda estavam vivos, mas não tão bem.

Nessas, o veterinário entrou e disse que eles tinham morrido de pneumonia. E eu falei:

— Eu sei.

— Sabe? Como? — perguntou o veterinário.

— O papagaio acabou de me contar.

Atualmente, tenho cães e pássaros. São calopsitas, agapornis, periquitos, lóris, papagaios e cacatuas. Eles vivem todos soltos. Desses bichos todos, alguns nasceram em casa, outros são adotados,

[12] O tigre Tom nasceu e vivia livremente na propriedade do mantenedor e adestrador Ary Marcos Borges, em Maringá (PR), que iniciou seu trabalho com esses felinos em 2007, quando obteve a licença do Ibama para receber tigres resgatados de circo. Em 2012, Tom, aos quatro anos de idade, gravou uma cena para a novela *Amor eterno amor* (Globo). Hoje Tom vive bem, em uma propriedade particular.

vítimas de maus-tratos. Em Angra, moram uma arara e um cachorro, que também são adotados.

Eu não saberia viver sem essa energia deles. Como fico feliz em ouvir o papagaio Max gritando "Bom diiiia" sempre que passamos por ele. E não importa se estamos no período da tarde ou da noite. Além disso, sempre que chega alguém em casa ele diz "Oi!" e, depois, se despede com um sonoro "Tchau". Minha energia se confunde com a deles. Eu sou mais eu perto deles.

As pessoas que trabalham com a própria imagem entenderão o que direi: você pode ser você na frente dos bichos. Eles não te julgam, não querem saber da sua conta bancária, se você está ou não maquiada, jovem ou velha. Eles apenas querem você, simples assim. Estar perto deles é o maior presente e eu os amo! Claro, alguns te escolhem como alguém da família.

E foi o caso do Xuxo, do Zezinho e do Dudu.

Filho peludo

ANTES DO DUDU, TIVE O ZEZINHO. Era filho também: dormia na cama, muitas vezes viajava comigo. Ele tinha um probleminha de coração e, quando ele se foi, eu prometi a mim mesma: não quero mais sofrer desse jeito. Não vou ter mais cachorro filho. Claro que cachorro eu sempre teria, e todos seriam amados, mas eu queria achar que tinha controle sobre a possibilidade de eles se tornarem ou não um filho. Eu pensava: não vou mais levar para dormir comigo nem para viagens. Os cachorros que vierem ficarão aqui, soltos pela casa, serão sempre muito bem tratados e amados. Mas filho peludo não queria mais. Era uma maneira minha de achar que, se fizesse isso, não iria mais sofrer aquela dor que tive ao perder o Xuxo e o Zezinho.

Pois bem, a gente acha que pode ter controle de algumas situações da vida, mas Dudu chegou para me provar que não. Tenho uma amiga na Argentina, a Barbie, que sempre me dizia que queria um cachorrinho pequeno, como o Zezinho. E o Dudu nasceu no dia 14 de agosto — mesmo dia da Barbie! — e pensei que ele seria, então, o cachorrinho que ela tanto queria. Contei para ela, que ficou feliz com a notícia.

Meu sobrinho, Bladinho, foi buscar o cachorro, que estava em São Paulo, no caminho, me ligou dizendo:

— Tia… ele é muito legal. Não dá. Você não vai conseguir resistir.

Quando ele chegou em casa, eu já avisei:

— Nem vou olhar para a criança! Não quero correr o risco de me apaixonar. Maria, ele pode dormir no seu quarto até que a gente leve para a Barbie?

— Não, não quero. Eu vou me apegar a esse narizinho de borracha. Olha essa carinha, Xuxa.

— Maria, por favor, eu não posso ficar muito perto dele…

— Não, não vou conseguir.

Nesse empurra-empurra, a babá falou:

— Gente, deixa que eu fico com ele, então. Eu cuido, até que ele vá para a casa da Barbie.

Ele era tão pequeno que ela o colocou numa caixinha de sapatos, forrada. Mas eu achei que não seria certo. E fiz a primeira besteira: saí para comprar cama, brinquedos… cheguei, o colocamos na caminha e com os brinquedos ao lado. Ficou tudo ENORME perto dele. Ele era um tiquinho no meio de tudo.

Pois bem, no dia seguinte, o cachorro (eu só o chamava assim, pois, de acordo com meu plano de não me apegar, eu não poderia dar um nome a ele) acordou vomitando e com dor de barriga.

— Deixa, eu cuido — decidi.

E passei a dar água de coco na boquinha, limpar, cuidar… afinal, não tinha como ele viajar para a Argentina daquele jeito, não é mesmo? E ele passou a dormir na minha cama. Sasha tinha sete anos, e chegava do colégio e corria para vê-lo. Se beijavam e rolavam pelo chão.

Naquele final de semana, fui fazer um show em São Paulo. Foi a primeira vez que ele foi comigo. Entrei no avião, ele se encaixou no meu colo e assim ficou a viagem inteira.

Fiz o show e, quando entrei no camarim, ele pulava, abanava o rabinho, me beijava. Não teve jeito. Ele me escolheu. Ele precisava de mim como um filho precisa da mãe. E eu precisava dele como uma mãe precisa de um filho. Pronto. Ele foi batizado Eduardo Meneghel — nome do meu avô — e nunca mais saiu de perto de mim.

A Barbie me mandava mensagens e tentava me ligar querendo saber do "perrito". E eu não falava nada. Até que, um dia, tomei coragem:

— Barbie, não dá. Nos apaixonamos. Ele é meu filho.

Eu tinha certeza (e tenho) de que eu era sua mãe, recebendo com toda a alegria do mundo seus carinhos, suas lambidas, seus sorrisos e seus latidos de alegria. Tanto que ele dormia no meu travesseiro, cabeça com cabeça. Ele amava o cheiro de banho, e ficava com aquele focinho no meu pescoço. Como o Xuxo e o Zezinho, também morria de ciúme e não deixava ninguém chegar perto da mãe dele.

Quando o Ju chegou, foi diferente. Assim que ele conheceu o Dudu, ele o pegou do chão e colocou ao meu lado. Acho que ele já gostou daquele primeiro contato, afinal o colocaram ao lado da mãe. O Dudu tinha nojo de ficar molhado, de xixi. E o Ju secou a patinha dele um dia que ele acabou indo fazer as necessidades no mato. Ele passou a gostar mais daquele cara.

Ninguém entrava no quarto da minha mãe, ele não deixava. Quando chegavam os médicos, enfermeiros, fisioterapeutas, eu tinha que segurá-lo, pois ele avançava mesmo. Era o rei da casa. Mas ele também se apaixonou pelo Ju, e o adotou como pai. Tanto que o Ju podia entrar para ver Aldinha que Dudu ficava feliz.

Como ele sempre estava com a gente, quando a gente namorava na cama, ele virava de costas para não ver. Quando acabava, ele vinha com aquele sorriso e a gente dormia. Todo mundo junto. Ju passou a entender os barulhinhos e as rosnadinhas que ele fazia. Passou a entender a linguagem do Dudu. Sabia quando era fome, quando era xixi, quando queria brincar.

E eu viajava por todos os lugares com ele. Lembro que uma vez, em Las Vegas, estava muito frio. E eu o coloquei dentro do casaco, só com a carinha para fora e ele se sentiu o máximo. Ele gostava tanto de viajar que, quando me via arrumando a mala, ele vinha trazendo com a boca suas roupas e brinquedos.

Temos tanta coisa a aprender com esses seres tão especiais. Eles recebem seus pais humanos sempre abanando o rabinho e com um sorriso, mesmo quando o dono não olha para baixo para vê-los. Quer mais? Eles acreditam em você mesmo com todos os seus defeitos, além de te amar muito, muito, muito sem querer nada em troca.

E Dudu não pedia nada em troca. Mas como eu mimava esse menino! Ele estava sempre comigo. Fez capas de revista e foi até em premiações ao meu lado. Tinha seu capacete para andar de moto com o Ju. Me acompanhava em trabalhos, era o rei do camarim. Tem quem não entenda o fato de quem considera cachorro como filho. Eu é que não entendo quem não consegue amar um ser tão puro como filho.

E, por mais que a gente saiba que um cachorro vive menos que um humano, é sempre uma dor imensa perder um filho. Não fazia nem um ano que a mãe tinha partido quando eu recebo a notícia de que Dudu — aos onze anos e saudável — tinha me deixado.

Como assim? Ele tinha feito todos os exames, coração, sangue, urina... tudo estava perfeito. Mas, no exame de coluna, erraram na dose de anestesia e tranquilizante e ele não voltou para casa... não consigo evitar de pensar que ele viveria mais uns três ou quatro anos comigo. E que fui privada desse tempo com meu filho. Até hoje, às vezes acordo com seu ronquinho ou sentindo o cheiro do Dudu no meu travesseiro. Filho, a mãe te ama e vai te amar para sempre.

Tatuagens

TENHO ONZE TATTOOS. Vamos a elas:

— O símbolo do meu signo, Áries;

— Um trevo de quatro folhas que eu e Sasha fizemos iguais;

— Código de barras com o número 1963, ano de nascimento meu e do Ju. Nós dois fizemos juntos;

— A patinha do Dudu;

— Uma cruz em um dedo da mão direita;

— O nome da minha mãe no braço direito, com um passarinho;

— O nome da minha filha no braço esquerdo;

— Um sol, com S, de Sasha, na nuca;

— O símbolo do veganismo do lado da mão;

— Uma lua atrás da orelha direita;

— E a primeira, que é um golfinho no cóccix.

Vem mais por aí

Estou prestes a fazer sessenta! O.k. Estou com 57 anos, mas já posso dizer que estou perto dos sessenta e isso significa que já (quase) posso falar de tudo. Não é o que dizem? Que depois dos sessenta pode-se falar de tudo? Se antes eu já não tinha filtro, imagina depois dessa idade.

Eu sempre tive problemas para guardar segredos, nunca tive paciência para esperar e falo muito sem pensar... No decorrer dos anos, isso piora, então acho que posso até perder alguns amigos por ser sincerona.

Vamos dar uma resumida no que vivi até aqui: gaúcha, criada no subúrbio do Rio de Janeiro, caçula de cinco irmãos; tive uma mãe maravilhosa; sou apaixonada por bichos; comecei a trabalhar ainda adolescente; fui para a TV; bati recordes de vendagem de discos, DVDs, venci dois Grammys; realizei o maior sonho da minha vida sendo mãe aos 35 anos de uma menina linda chamada Sasha; sempre que pude (e posso) ajudo pessoas e bichos; tive durante 29 anos uma fundação que ajudava muitas crianças, jovens e famílias...

Ao escrever estas memórias, posso dizer, para mim mesma: até que eu fiz uma linda história. Pena que muitas vezes eu esqueça isso e me cobre tanto e por tanto... Por mais que eu tente, só eu sei o que senti e vivi e nunca poderei dizer exatamente em palavras, pois as palavras não definiriam o que é amor, carinho, por décadas de muito trabalho e de conquistas.

Acho que, no fim das contas, escrever estas memórias tem alguns sentidos, além de dizer a mim mesma que eu fiz algo legal da minha vida.

É um agradecimento por tanta gente que me pede para falar um pouco de mim. Pois se tem uma coisa da qual tenho certeza, é que muita gente tem carinho por mim. Existem pessoas que rezaram por minha mãe, pois sabiam que ela estava doente; existem pessoas que choraram no nascimento da minha filha; que se alegram com minha alegria, e, mais importante de tudo: que me aceitam do jeito que eu sou. E é para essas pessoas — que realmente têm carinho por mim — que eu quero dedicar este livro. Como um agradecimento, como uma forma de fazer com que você — sim, você que está lendo — possa entrar um pouco mais em minha vida. Afinal, entre eu aqui falando e você aí lendo, somos só nós. Sou eu, contando para você.

Preciso dizer às poucas pessoas que não gostam de mim (sim, são poucas se comparado com o tanto de gente que me quer bem) que vão ter que me ver feliz por mais alguns anos, pois é assim que estarei ao lado do meu público, de minha filha, do Ju, dos bichos, dos amigos e das minhas escolhas. Eu jamais serei alguém que não sou. Aceitem. O que vou fazer daqui para a frente? Garanto que vem mais por aí. Pois vou viver. Viver tudo que Deus reserva para mim.

A tristeza de chegar perto dos sessenta não são as rugas ou a falta de colágeno, e sim de enterrar pai, mãe, irmão, filho de pelo… Ver pessoas importantes irem embora: artistas que fizeram parte da sua infância morrendo, amigos, parentes. Isso te faz se sentir impotente. Vemos que nós, seres humanos, também somos um bicho estranho…

E, por falar em partida, vamos combinar assim: EU NÃO QUERO HOMENAGEM DEPOIS QUE EU MORRER! Assim, tudo em letras maiúsculas. É isso mesmo, vou ficar muito "p" da vida se, de onde eu estiver, vir alguém escrevendo, postando, chorando minha morte sem nunca ter demonstrado amor por mim em vida. Falem agora que sou ou que fui importante, falem agora que aprenderam algo comigo.

Não adianta coroa de flores se você não disse que amava, que se importava. Não chegará aos ouvidos de quem já se foi (a não ser que você queira aparecer ou tentar limpar a sua barra daquilo que você não fez em vida).

Portanto, não quero demonstração de amor das pessoas que nunca me disseram em vida que gostavam de mim, que me amavam, que fui importante. Não dou esse direito a elas, ou melhor, tirei esse direito delas ao escrever estas linhas. E você, que tem carinho por mim, que acompanha minha trajetória, que esteve ligada ou ligado na frente da TV para ver meus programas... se quiser cantar "Ilariê" bem alto no velório, eu, com certeza, vou gostar.

Se puder deixar um conselho de quem passou de meio século de vida, é este: fale tudo hoje e agora, escreva tudo hoje e agora para não se arrepender depois de não ter dito ou sentido o que queria... O futuro é hoje.

Dizer que alguém é importante vai te fazer bem e, tenha certeza, pode mudar o momento — ou até a vida — de quem ouvir.

Termino aqui perguntando: como você gostaria de ser lembrada(o)?

Eu? Ariana, que amava bichos e crianças, que falava o que vinha à cabeça e que foi muito amada. Em vida.

Posfácio ou uma previsão

Penso muito que, quando estiver mais velha, eu estarei no meio do mato, cheia de bichos, com o cabelo mais branquinho ainda (o que ainda restar!), com o Ju, a Sassá e os meus netos. Sonho acordada com essa possibilidade. Já até imaginei onde e como será. Quando estou idealizando esse momento, fico com um sorriso só de pensar no cheirinho dos meus netos, na felicidade de ver a continuação do meu bebezão com seus bebezinhos.

Imagino sempre a casinha onde vou morar. Ao redor dela, natureza, bichos, árvores, casinha de Tarzan, de boneca... Na residência, os móveis serão sem pontas para as crianças não se machucarem e teremos poucas coisas que possam quebrar.

Lá em casa, também faremos todas as festas: Natal, Ano-Novo, os aniversários... E esse lar estará sempre pronto para receber também todos os amiguinhos dos meus netos, de pernas ou de patas.

Os quartos serão coloridos. Ah, e sempre terá música, além de "tranqueiras", como um baú cheio de doces (veganos!) que só se pode comer antes do jantar na casa da vovó.

Agradecimentos

À minha mãe, que sempre acreditou em mim.

Ao meu público, que nunca deixou de acreditar em mim.

Às pessoas que passaram pela minha vida e me ensinaram que o mundo tem que ser feito de verdades, pois meias verdades são mentiras vestidas de ilusão.

Agradeço também às pessoas de caráter duvidoso que me sugaram e que me usaram, pois só assim eu pude valorizar as pessoas boas que encontro no meu caminho.

Acima de tudo, agradeço a Deus, que me deu minha filha, minha vida e tudo o que vivi, vivo e ainda vou viver.

Se quiser doar ou saber mais sobre os projetos apoiados pela Xuxa, entre em:
@santuariosdobrasil no Instagram – para apoiar santuários que resgatam animais em situação de maus-tratos.
E **aldeianissi.com** – que atende crianças e famílias em Angola.

Este livro, composto nas fontes Fairfield e Barlow Condensed, foi impresso em papel pólen soft 80 g/m² e Couché 115 g/m² na gráfica Edigráfica.
Rio de Janeiro, Agosto de 2020.